Jean-Philippe Blondel

La mise à nu

Gallimard

Jean-Philippe Blondel est né en 1964. Marié, deux enfants, il enseigne l'anglais en lycée et vit près de Troyes, en Champagne-Ardenne. Il publie en littérature générale et en littérature jeunesse depuis 2003.

à M.F., V.O., A.G.,
A.C., G.A., R.D., S.D. et C.P.

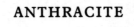

ANTHRACITE

Je n'étais pas à ma place. Je déambulais dans l'enfilade des salles, une flûte d'un champagne trop vert à la main. Je regardais les autres invités. Leur assurance. Leur port de tête. Leurs mimiques. Ils tenaient des conciliabules, s'esclaffaient, observaient des groupes rivaux, jetaient de temps à autre un regard sur les toiles, s'extasiaient bruyamment, se retournaient, murmuraient à l'oreille de leurs acolytes une anecdote croustillante ou un commentaire acerbe qui démontait en un clin d'œil le travail qu'ils venaient de louer. Les hommes portaient des vestes à l'aspect savamment négligé. Les femmes riaient à gorge déployée dans leurs robes noires et touchaient à intervalles réguliers le bras ou l'épaule de leurs partenaires masculins.

Un vernissage, et tout son décorum. En fait, on n'était pas très loin de l'image stéréotypée que j'en avais. Je n'étais pas un habitué de ce genre d'événements. Au cours des cinquante-huit années de mon existence, j'avais finalement peu fréquenté le monde des arts plastiques. C'était la deuxième fois seulement que j'étais convié à ce type de cérémonie. La première avait eu lieu plus d'un quart de siècle auparavant. J'accompagnais alors un ami qui exposait, fébrile, avec les artistes locaux. Nous avions nous-mêmes accroché ses tableaux.

Tandis que ce soir-là, bien sûr, était différent. Le peintre était un autochtone, certes, mais sa notoriété s'étendait jusque dans la capitale et même hors de nos frontières. Alexandre Laudin : la preuve vivante que l'art n'a cure des origines géographiques et sociales – il était né et avait grandi ici, dans un lotissement de l'agglomération de cette ville de province où ses parents résidaient encore. Quant à lui, je l'imaginais bien installé dans le Xe ou le XIe arrondissement. Bastille. République. Là où la vie bat plus vite.

Laudin fait la fierté de la ville et de ses habitants. Il est notre caution culturelle et la référence que nous aimons glisser au détour d'une conversation, histoire de montrer qu'il n'y a pas qu'à Paris que. Son nom a commencé à circuler il y a une dizaine d'années, si je me souviens bien. Avec des mentions de plus en plus nombreuses dans la presse locale, régionale, puis nationale. Une ascension discrète mais régulière. La semaine dernière, sa photo s'étalait à la une du journal. On annonçait cette exposition exceptionnelle, sorte de minirétrospective de quinze ans de recherches picturales. Les tableaux ne resteraient dans cette galerie que deux semaines avant de s'envoler pour Rome, Londres ou Amsterdam, où les amateurs commençaient à s'impatienter. Cependant Laudin avait tenu à cet accrochage dans son fief, avant de se mondialiser. Sa fidélité à ses origines avait été fort louée par le journaliste. Le message était clair : Alexandre Laudin, au moins, ne se la pétait pas. Le vernissage aurait lieu le vendredi soir. Soirée privée. Sur invitation. Je me rappelle avoir scruté en souriant le portrait d'Alexandre Laudin dans le journal. Je le reconnaissais à peine. Il ne ressemblait pas à l'élève qu'il avait été lorsque je lui avais enseigné l'anglais, vingt ans auparavant. Je devais l'avoir eu en première, mais il ne m'avait pas marqué. J'ai souri, comme chaque fois que j'employais le verbe « avoir » pour évoquer la relation entre élève et professeur. *Monsieur Bichat ? Je l'ai* eu *en cinquième. T'as eu de la chance de pas* avoir *la mère Aumont.* C'est ainsi que nous nous définissons, eux et nous. Nous nous appartenons pendant quelques mois. Puis, nous nous redonnons notre liberté. Nous nous oublions.

Aujourd'hui, bien sûr, je remarquerais Alexandre Laudin. Sur les photographies parues dans la presse, il fixait l'objectif d'un œil dur et presque insolent. Il respirait l'argent et l'estime de soi. Physiquement, il avait l'air de s'être considérablement étoffé, lui qui ne m'évoquait qu'une silhouette malingre, un chat famélique dans les couloirs du lycée. Il avait dû fréquenter avec assiduité les salles de sport et les spas. Avec ses cheveux mi-longs et sa barbe de trois jours, il aurait pu devenir l'effigie d'une campagne de publicité pour parfum masculin.

J'avais été très surpris de trouver l'invitation pour ce vernissage dans ma boîte aux lettres. Je faisais donc partie des happy few, dont le nombre s'élevait tout de même à presque deux cents, à vue de nez. J'avais été flatté, bien sûr, perplexe aussi. Il m'était rarement arrivé de croiser Alexandre Laudin au cours des vingt dernières années, et, quand cela se produisait, nous nous contentions de hocher la tête d'un air entendu en murmurant une phrase de politesse anodine. Nous n'avions pas envie d'entendre parler de nos existences respectives. J'ai supposé que mon nom était apparu par erreur sur la liste de diffusion du centre culturel qui organisait l'événement. Flatté ou non, j'avais décidé que je ne m'y rendrais pas. Je n'avais rien à espérer de ce type de soirée où je ne connaissais personne. J'anticipais sur ce que serait ma solitude. Mon désœuvrement. Le sentiment de ne pas être à ma place. Je préférais m'affaler sur le canapé et lire le roman que j'avais commencé la veille. Ou me perdre dans les méandres d'une série télévisée anglaise sur les déboires de l'aristocratie et de la domesticité au début du vingtième siècle.

Oui, mais voilà. La journée avait été harassante. Célia Richon, en seconde B, avait été encore plus insupportable que d'habitude. Elle me narguait avec son sourire en coin et levait les yeux au ciel quand je lui faisais des remarques. Et évidemment, la professeure principale des 2B, qui enseigne l'EPS, ne comprenait pas comment Célia pouvait se montrer sous des jours aussi différents en anglais et en sport. Avec elle, ajoutait-elle perfidement, elle était adorable. J'entendais bien, sous son sourire carnassier, la mise en cause de mes pratiques pédagogiques et, surtout, les sarcasmes sur mon âge. Il serait peut-être temps de raccrocher, non ? Ajoutons à cela un agacement grandissant devant mes terminales qui passaient leur temps à tenter de consulter leur portable, et l'annonce de l'arrivée d'un perturbateur remercié par les autres établissements en première littéraire. Je n'avais pas arrêté de soupirer et Isabelle, ma collègue de philosophie, me l'avait fait remarquer. De toute évidence, j'avais perdu la flamme, si tant est que je l'aie jamais eue, et l'énergie à déployer pour capter un minimum d'attention de la part des élèves m'épuisait chaque jour davantage. J'envisageais les quatre années d'enseignement qui me restaient à assurer avec inquiétude, d'autant que nous n'étions pas à l'abri d'une nouvelle décision ministérielle reculant l'âge légal de départ en retraite à soixante-cinq, voire soixante-dix ans. J'avais deux paquets de copies en souffrance, mais, quand j'étais rentré dans l'appartement froid, je n'avais pas eu envie d'y rester. J'avais monté le chauffage à fond, au diable les restrictions, après moi le déluge. L'invitation était en vue sur la table du salon. Je l'avais enfournée dans la poche de mon manteau, et j'étais ressorti immédiatement. Sur le chemin, je m'étais dit que dans ce genre de pince-fesses il devait y avoir une nourriture à profusion et que, si je me débrouillais bien, je n'aurais même pas besoin de préparer le dîner. Et quand je rentrerais, il ferait si chaud que j'hésiterais à entrouvrir une fenêtre. Le bonheur. En attendant, j'allais me gaver d'amuse-bouches.

Je regardais la foule. Le craquèlement des fonds de teint. Les traces d'opérations de chirurgie esthétique. Le plissement des peaux. Le papillonnement des cils. J'entendais les rires qui sonnaient faux. Vraiment, ce n'était pas mon monde. Je préférais de loin l'anonymat des salles de cinéma dans lesquelles je me rendais souvent le dimanche, à la séance de dix-huit heures, pour être sûr de n'être dérangé par personne et de pouvoir m'installer tranquillement au troisième ou quatrième rang, prêt à être écrasé par l'écran et la projection des images au sein desquelles je plongeais, oubliant brutalement tout ce qui se déroulait à l'extérieur. Pour les films, comme pour les romans, que je dévorais avec une régularité de métronome, je ne mettais aucune barrière – je tombais dans tous les pièges que l'auteur ou le réalisateur me tendait, et je me perdais avec délice dans les dédales de la fiction. Je me souvenais de l'ami de Mary Poppins, ce ramoneur qui dessinait à la craie de magnifiques tableaux dans lesquels on pouvait sauter et se réincarner. Je rêvais de le rencontrer.

Je n'avais pas été surpris par les toiles. Au fil des années, j'avais vu plusieurs reproductions dans le journal local et sur les affiches qui ornaient les murs de la ville. J'avais également effectué quelques recherches virtuelles et, lorsque les médias avaient commencé à parler de Laudin, je m'étais même connecté au site qu'il avait créé pour promouvoir son œuvre, site qui avait d'ailleurs disparu une fois sa notoriété établie.

De grandes silhouettes grises, presque verticales, soudain trouées par des touches de couleurs vives. Des foules attendant, le regard inquiet, un dénouement. Un cataclysme. Des visages travaillés, déformés, les yeux exorbités. Une vision dérangeante de l'humanité, qui tenait à la fois de Francis Bacon et de Munch, avec cette touche incongrue de Buffet, ce peintre oublié dont les reproductions ornaient les murs de la salle à manger, chez mes parents, quand j'étais enfant. De quoi geler définitivement l'atmosphère déjà glaciale dans laquelle se déroulaient les repas familiaux.

Il y avait sans doute d'autres influences, mais je ne voulais pas m'engager sur la pente savonneuse des comparaisons et des analyses. Ma culture picturale n'était pas assez étendue. Je trouvais l'ensemble intéressant, mais j'étais conscient que l'utilisation de cet adjectif aurait fait grincer les dents de l'artiste s'il en avait eu vent. Perturbant, certes, toutefois pas réellement novateur. Et, surtout, mon regard glissait sur les tableaux sans rester accroché à aucun. Il ne s'en dégageait aucune émotion, c'était probablement le but recherché par le peintre. Un monde froid et brutal. L'exposition d'une dystopie. Soit. Ce qui me contrariait davantage, c'est que, dernièrement, Alexandre Laudin semblait se répéter, dans les thèmes, la palette, les traits. Comme si, à l'aube de sa carrière, il restait indécis, sur l'un des barreaux inférieurs de l'échelle qui devait l'emmener vers le soleil. J'ai souri à la phrase ampoulée que je venais de prononcer mentalement. De salle en salle, j'avais atteint la plus éloignée de l'entrée. Elle était déserte et donnait sur un petit jardin plongé dans l'obscurité. Les conversations et les éclats de rire venus du hall y parvenaient étouffés et presque irréels.

« Vous souriez, monsieur Claret ? »

J'ai sursauté. Il était là, dans un coin de la pièce, appuyé contre le mur. Il s'est avancé, détendu, souple, sûr de lui, exhalant cette prestance que ne peuvent donner que le succès et le mitan de la trentaine – lorsqu'on est en train de construire son chemin, que les tâtonnements sont derrière soi et que la fatigue ne se fait pas encore sentir.

« Vous vous souvenez de moi ?

— Évidemment. Ce n'est pas difficile. La presse et Internet nous donnent de vos nouvelles régulièrement. Qu'est-ce que vous fabriquez dans cette salle ? Ne devriez-vous pas être dans le grand hall, au milieu des invités ?

— Je viens de m'échapper, en réalité. J'ai besoin de quelques minutes de calme avant de me lancer dans mon discours.

— Alors je vais vous laisser tranquille.

— Non, restez. Je suis content de vous voir. Vous allez bien ?

— Je vais, ce qui n'est déjà pas si mal. Félicitations pour votre parcours en tout cas.

— Vous n'auriez jamais imaginé que j'embrasserais cette carrière-là, quand j'étais élève, n'est-ce pas ? »

Je jetai un nouveau coup d'œil aux toiles. C'est à elles que je m'adressais quand je répondis.

« Vous savez, on s'aperçoit au fil du temps qu'on connaît bien peu les adolescents que l'on a devant soi. C'est après le lycée qu'ils prennent leur envol. Qu'ils font leur choix. Forment leurs alliances. Montent, descendent, stagnent. Mais alors, généralement, on ne peut plus leur venir en aide, parce qu'ils ne nous adressent plus aucun signe. On ne fait que les accompagner pendant un très court laps de temps. Je suis flatté que vous vous rappeliez mon nom.

— J'aimais bien vos cours.

— C'est gentil à vous. Je ne crois pas vous avoir apporté quoi que ce soit d'utile en ce qui concerne la peinture, cela dit. »

Un geste de la main pour balayer l'objection.

« Personne ne pouvait me guider dans ce chemin, je crois. Je l'avais déjà emprunté depuis longtemps. Oh, mon Dieu, on dirait que je réponds à une interview à la radio et que j'enchaîne les poncifs. Je suis désolé. Quoi qu'il en soit, dans votre classe, je me sentais rassuré. J'avais l'impression que, pendant l'heure que je passais avec vous, rien ne pourrait m'arriver. Je ne suis pas sûr que cela fasse sens.

— Pas trop non, mais c'est toujours agréable à entendre. Alors, j'ai appris que la prochaine exposition se tiendra à Amsterdam ?

— Madrid avant. Les Pays-Bas ensuite. Et je dois me rendre en Autriche d'ici quelques semaines pour finaliser un projet avec une galerie. Je m'européanise.

— Pourtant vous commencez par un vernissage dans votre ville d'origine. Vous êtes d'une fidélité touchante, comme dit le journal local. »

Il a émis un gloussement et s'est approché de quelques pas.

« Soyons honnêtes, c'est avant tout une façon de me faire mousser et de frimer auprès de tous ceux qui, ici, m'ont pris pour un crétin fini. Et aussi une manière de rendre hommage à une municipalité qui m'a beaucoup aidé. De m'assurer son soutien au moment où j'aurai besoin de son secours. On sait ce que c'est, la vie d'artiste. Des hauts, des bas. Un jour, je serai sans doute passé de mode.

— Vous êtes très pessimiste.

— Lucide, plutôt. Ça ne m'empêche pas de profiter de tout ce qui arrive. Au contraire, je crois. »

Nous sommes restés quelques secondes côte à côte. Nous nous tenions face à l'une de ses plus anciennes toiles. Sa période verticale, comme je l'appelle. Des tours, des gens écrasés, l'absence de ciel. Je me suis demandé qui pouvait bien acheter des tableaux pareils. Et où ils les accrochaient, ensuite.

« Je ne voulais pas qu'ils exposent les premiers, mais ils ont insisté. Une rétrospective, ça n'a de sens que si on part de la genèse.

— Ce n'est pas gênant, une rétrospective, à votre âge ? »

Il a haussé les épaules, a répondu qu'au début oui, il avait été un peu surpris, puis qu'il s'était habitué à l'idée et que ce projet tombait à pic,

23

parce que, justement, il avait envie de bouger, de s'extraire de ses habitudes, de modifier sa palette et même jusqu'à son trait. Il était en pleine recherche, depuis quelques mois. Il expérimentait. Il souhaitait tourner une page. Il en était là quand une grande femme blonde, longiligne et nerveuse, a traversé la pièce, me gratifiant d'un coup d'œil presque méprisant avant d'apostropher Alexandre. D'un geste brusque, elle a indiqué la montre à son poignet. Laudin a opiné du chef. M'a doucement pressé l'épaule gauche. A disparu. Quelques secondes après, des exclamations ont fusé. Des applaudissements. Le cirque culturel. J'ai entendu le début de son discours. Son ironie subtile. Ses formules qui claquaient. Il était grand temps de se diriger vers le buffet que les serveurs venaient de dresser. Dans une dizaine de minutes, les invités se précipiteraient sur la nourriture et il serait pratiquement impossible de s'approcher de la table. Je me suis placé dans une position stratégique – celle qui me permettait tout à la fois d'engloutir une vingtaine de petits-fours en un temps record puis de m'éclipser rapidement.

J'avais échangé quelques phrases avec une célébrité. Je m'apprêtais à me nourrir aux frais d'une équipe municipale pour laquelle je ne votais pas. Faste soirée.

Pendant quelque temps, la vie a repris son cours. Début novembre, j'ai dîné avec ma fille aînée qui passait en coup de vent dans sa ville d'origine. Elle se rendait à Paris, où elle devait rencontrer un de ses collègues physiciens, qui travaillait comme elle sur les ondes et les signaux. Je n'ai jamais bien compris ce qu'englobait son domaine de recherches ni quel était exactement le champ d'application des découvertes auxquelles elle pourrait participer. Elle avait tenté de me familiariser avec les concepts avec lesquels elle jonglait, mais, même si je hochais la tête en suivant le mouvement de ses lèvres, les mots qu'elle prononçait n'avaient aucun sens. Elle finissait par rire de mes yeux écarquillés et nous passions à autre chose. Nous parlions de sa sœur cadette, par exemple, qui, une fois son diplôme universitaire en poche, avait décidé d'émigrer au Canada pour suivre son amour du moment, et qui avait dégoté un travail dans un cabinet d'avocats de Montréal. Lorsqu'elles étaient petites et que je me retrouvais dans la cuisine à cinq heures du matin, le porte-bébé sur le ventre, essayant contre vents et marées de les rendormir, je me demandais souvent ce que j'allais bien pouvoir leur transmettre. Ma passion pour les livres et les mots qui enflent, pénètrent la peau, font battre les veines sur les tempes et assèchent la gorge en quelques phrases. Mon amour de la musique et de ces notes égrenées qui dessinent instantanément un paysage et une saison, ciel tourmenté sur les plaines du Nord en octobre, soleil poisseux de juillet dans les marécages du Sud. Je les imaginais romancières, journalistes, dramaturges, actrices, musiciennes. Je ne parviens toujours pas à savoir si elles ont choisi leurs voies professionnelles en réaction à mes aspirations ou par réelle attirance. En tout état de cause, je me suis planté dans les grandes largeurs, mais, explique Iris, la cadette, lorsqu'elle daigne se connecter sur Skype pour donner de ses nouvelles, l'important est qu'elles avancent désormais sur des chemins qui leur correspondent. On connaît si peu ses propres enfants, au fond. On connaît si peu les autres, en général. On ne fait que projeter sur eux les fantasmes qu'ils nous inspirent.

J'avais retiré du mur du salon la reproduction d'un Modigliani que j'avais accrochée à la va-vite en emménageant et je l'avais remplacée par l'affiche de l'exposition d'Alexandre Laudin. Elle jurait avec le reste de la pièce et faisait bien piètre figure, sans cadre ni plaque de verre pour la mettre en valeur, mais je m'en moquais. Je recevais peu d'invités et ceux qui me rendaient visite restaient souvent assis dans la cuisine, parce qu'elle était claire, chaleureuse et qu'elle donnait sur les toits des maisons environnantes. Le salon était devenu un domaine presque privé, une extension de la chambre à coucher.

Je repensais de temps à autre à la conversation que j'avais eue avec Laudin. Je ne regrettais pas qu'elle ait été interrompue. Je n'aurais pas eu le talent nécessaire pour entretenir le feu de l'échange et nous serions restés bras ballants tous les deux, dans un silence maladroit, avec le petit tas des cendres de nos souvenirs entre nous. Que peuvent bien se confier un ancien élève et son ex-professeur, une fois émises les banalités d'usage sur leurs carrières respectives et sur l'eau qui, évidemment, a coulé sous les ponts et creusé des rigoles sur les visages ?

Quand j'ai décroché le téléphone ce samedi matin-là, un mois après l'exposition, je pensais qu'il s'agissait encore d'un de ces démarcheurs infatigables désirant m'entretenir de banques virtuelles, de contrats obsèques ou de panneaux photovoltaïques. J'avais préparé une dose d'agressivité suffisante pour me débarrasser de l'importun, et la voix d'Alexandre Laudin m'a déstabilisé. Il appelait d'Amsterdam. Il était embêté de me déranger, expliquait-il, parce que j'avais sans doute mille autres projets, cependant il aimerait savoir si nous pourrions nous voir, la prochaine fois qu'il se rendrait dans notre ville. Je me suis entendu répondre que c'était assez inattendu, mais que, ma foi, pourquoi pas, avait-il une idée plus précise de la date de son passage ?

« Demain. »

J'ai hésité deux secondes. Je crois qu'une partie de moi a pensé qu'il fallait prétexter un engagement ailleurs, histoire de montrer que ma vie n'était pas un désert social. Mais d'un autre côté j'étais flatté – et intrigué aussi. Qu'est-ce que Laudin pouvait bien vouloir à un vieux bonhomme comme moi ? J'ai accepté. Où préférait-il que l'on se rencontre ?

« Chez moi ?

— Pardon ?

— J'ai un pied-à-terre, là-bas. »

Raclement de gorge. Reprise. Il s'est excusé, il détestait la façon dont il s'exprimait – parfois, a-t-il ajouté. Bref, il avait acheté une sorte de loft, un peu à l'écart du centre-ville, près des voies de chemins de fer. Il l'avait aménagé de bric et de broc, et l'ancien grenier faisait aussi office d'atelier, « enfin, vous verrez bien, monsieur Claret. Dix-sept heures, ça vous va ? » Il repassait par la capitale le lendemain matin et pensait arriver chez nous en début d'après-midi. Rire gêné.

«Vous voyez, je dis *chez nous*. Je suis censé vivre à Paris mais je reste un indécrottable provincial.

— Vous avez deux maisons?

— Deux adresses en tout cas.

— Vous connaissez l'adage : "Qui a deux maisons perd sa raison."

— Je suis foncièrement déraisonnable. À demain, alors? Il faut que je vous parle de quelque chose.

— J'imagine, Alexandre. Sinon, notre entrevue ne servirait à rien.»

Je l'ai entendu sourire au téléphone. Il a probablement secoué la tête. Quel numéro, ce Claret, quand même. Il a raccroché.

J'ai passé une partie de la soirée à ouvrir les cartons que j'avais empilés dans le débarras, après le déménagement. S'y entassent des photos, les lettres que je recevais jusqu'à ce que les e-mails envoient le courrier postal *ad patres*, des articles de journaux sur des fêtes scolaires d'il y a vingt ans, des carnets que j'ai au tiers remplis de notes, de débuts d'histoires ou de réflexions depuis longtemps oubliées, et des petits objets inutiles censés me rappeler des instants particuliers, mais qui ne m'évoquent plus rien – minuscule boîte à musique en bois, sur laquelle un clown est dessiné ; bob à rayures beige et bleu ; reproduction noir et blanc d'un cliché de Kerouac découpé dans un volume volé à la bibliothèque il y a des lustres. Cela fait quelques années déjà que je n'ajoute plus rien à ce capharnaüm, parce que l'existence a cessé de me fabriquer de la mémoire. Je plonge rarement mes mains dans ce fatras car je ne suis guère attiré par le passé. Pas plus que par l'avenir, d'ailleurs. Seul l'actuel peut retenir mon attention, et encore, de façon intermittente. Je suis le maître d'un monde flottant. Je me laisse dériver et advienne que pourra. J'ai cherché à profiter du jour présent pendant des décennies sans jamais y parvenir, et j'y suis arrivé par inadvertance, une fois la cinquantaine passée. Je vis dans une atonie ironique. Mes collègues me trouvent en général sympathique et jovial. Les plus jeunes se moquent mais avouent à demi-mot qu'ils aimeraient bien tenir la forme que j'ai quand ils auront mon âge. Le seul ennui, au fond, c'est que rien, jamais, ne me touche plus.

J'ai ressorti les photos de classe. Celles où je trône, à droite du groupe, souriant mais concentré, tandis que les élèves font de leur mieux pour se mettre à leur avantage, conscients que n'importe quelle imperfection remarquée ce jour-là sera immortalisée et reviendra comme un leitmotiv dans les conversations futures, lors des beuveries de la vingtaine, des soirées arrosées de la trentaine, des dîners tardifs de la quarantaine. Il y aura toujours un invité pour rappeler l'air idiot, la chemise passée de mode ou la coupe de cheveux ahurissante qu'untel ou unetelle arborait alors, et les autres enchaîneront avec des anecdotes plus ou moins inventées et des ragots plus ou moins sordides. Les photos de classe sont les seules images que nous laissons de notre adolescence dans un milieu autre que familial ou amical. Elles sont le premier témoignage de notre socialisation – ou de son échec.

Je les collectionnais, au début de ma carrière de prof, et puis, un jour, j'ai arrêté. Nous étions à la fin des années 90, mes filles grandissaient, la vie m'aspirait et me sollicitait de tous les côtés, je ne voulais plus m'encombrer de ces clichés d'élèves dont l'identité m'échapperait tôt ou tard. L'une des plus grandes surprises de mon existence a été de me rendre compte qu'en fait leurs noms étaient souvent restés intacts dans ma mémoire, accolés aux visages qu'ils avaient alors.

J'ai mis une bonne demi-heure avant de retrouver la photo de la première littéraire de 1996-1997. Dans le coin en haut, à gauche, Alexandre Laudin esquissait un pâle sourire. Il portait des vêtements beiges et gris qui se confondaient presque avec la tapisserie du foyer des externes où le photographe rassemblait les troupes. Il y avait, comme dans tout groupe d'adolescents, des clans et des limites bien marquées. Des personnalités flamboyantes. Des rebelles à la petite semaine. Des angoissés permanents. Cette fille, par exemple. Agathe Delange. Elle souffrait de ce qui ne s'appelait pas encore «phobie scolaire» et chaque heure de présence était une petite victoire sur la dépression rampante qui la dévorait. Elle semble dépérir à côté de Baptiste Larmée, organisateur de fêtes auxquelles tous rêvaient d'être invités, grande crinière blonde, regard arrogant d'un bleu soutenu, chemise ouverte, tatouage discret sur l'épaule, dix ans avant que les peaux ne commencent à se couvrir de dessins. Je connais le parcours de beaucoup d'entre eux. Nous vivons dans une ville qui ne compte que soixante mille âmes et, au détour des rues piétonnes, les anciens professeurs recueillent souvent de la bouche de leurs ex-ouailles, désormais majeures et libres, des témoignages et des indiscrétions concernant les uns et les autres. Baptiste Larmée a, paraît-il, beaucoup changé, suite à un accident de voiture au cours duquel il a tué un de ses camarades. Agathe Delange ne s'en sort pas si mal. Aux dernières nouvelles, elle exerçait le métier d'orthophoniste en région parisienne. Quand ils posent devant l'objectif, ils ne se rendent pas compte que le monde fermé au sein duquel ils évoluent, avec ses codes et ses exclusions tacites, explosera quelques mois plus tard et qu'il leur faudra sauter la tête la première dans le fleuve de la vie qui s'ouvrira devant eux. Quand ils auront atteint une rive, hors d'haleine, ils jetteront un regard en arrière et n'en reviendront pas du chemin qu'ils auront parcouru. Le lycée aura disparu au gré des méandres. N'en restera qu'une impression brouillonne. Un mirage. J'ai scruté le visage d'Alexandre Laudin à travers les années, mais je ne suis pas arrivé à le déchiffrer. Il ne livrait aucune clé. Une présence fantomatique dans un univers coloré. Je ne parvenais pas à l'intégrer dans la classe mentale que je recréais. J'ai ressenti une légère inquiétude.

Bien sûr, ensuite, j'ai jeté un coup d'œil aux autres archives. J'ai retrouvé la chemise cartonnée d'un rouge fané contenant les documents administratifs, diplômes, bulletins, rapports, actes notariés, extraits d'actes de naissance, de mariage, de divorce, achat de maison, revente, ces petits tas de papier qui résument le fatras de nos existences. S'en sont échappés des Polaroid. J'avais été un des derniers à posséder un de ces appareils étonnants qui offraient aux personnes présentes des souvenirs instantanés, prêts à la consommation et à l'oubli. Fille aînée à quatre ans sur un carrousel, sérieuse comme un pape, chevauchant une monture en bois appelée Zeus. Cadette à sept ans et deux incisives manquantes, glissant sur une luge en plastique rouge. Les photographies se sont absentées de nos vies au mitan des années 2000. Nous en prenions moins, parce que nos filles étaient grandes et récalcitrantes, préférant prendre la pose avec leurs amis, et que les rares clichés que nous parvenions à obtenir étaient maintenant dématérialisés, passant du téléphone portable à la clé USB ou à l'écran de l'ordinateur. Nous n'effectuions plus de tirage papier et à aucun moment nous ne nous retrouvions tous les quatre pour contempler et commenter les vestiges de notre passé. Ensuite, il y a eu la séparation et le déménagement qui lui a fait suite. C'était la première fois que je venais fouiller dans ce débarras, pour déranger une mémoire collective qui n'était plus qu'individuelle.

Il était plus de deux heures du matin quand je me suis écroulé sur le lit. Dehors, le samedi soir égrenait son lot de coups de klaxons, d'interjections et de lumières intermittentes. Ma place dans l'univers. Ici et maintenant. Là où l'histoire commence.

SOUFRE

«Alors, vous le trouvez comment?»

Alexandre souffle sur sa tasse de café. Nous sommes assis sur des tabourets en cuir noir, dans une cuisine spacieuse, séparée de l'immense pièce à vivre par un muret de brique sur lequel a été aménagé un bar. De grandes baies vitrées donnant sur un balcon laissent entrevoir un bout de la rue en sens unique dans laquelle je n'ai pas réussi à me garer. Deux arbres décharnés. Une cour pavée.

«Grand.»

Alexandre précise qu'il y a deux chambres, dans la partie «nuit», derrière nous. Il a en outre aménagé son atelier dans les combles où subsiste une verrière, dont personne ne comprend l'utilité de nos jours. Le problème, c'est qu'il y fait atrocement chaud l'été, même depuis que la toiture a été isolée. La bâtisse a été une maison de maître, au début du XXe siècle, une de ces demeures opulentes que se sont fait construire les patrons des industries textiles, quand les filatures avaient encore le vent en poupe. Elle a été divisée en appartements au début des années 60. Au rez-de-chaussée, une vieille dame qui vit encore dans l'illusion d'une splendeur passée. Au premier, une famille très discrète – lui est ingénieur dans le nucléaire et se déplace souvent. Les enfants sont de jeunes adultes et n'habitent presque plus chez leurs parents. Je relève la tête et je lui souris.

« Est-ce que vous en êtes fier, Alexandre ?

— De quoi ?

— D'avoir pu devenir propriétaire d'un bien très éloigné des aspirations de votre milieu social d'origine ? »

Il avale une gorgée de café de travers, tousse deux fois et puis plante son regard dans le mien. Je vois passer dans ses yeux les phrases qui lui traversent l'esprit, certaines grossières, d'autres comminatoires : « Pour qui te prends-tu vieux débris ? Dégage, connard ! » Elles laissent place à une lueur d'ironie et à beaucoup de douceur aussi.

« Vous vous souvenez de mes parents ?

— Pas vraiment. J'ai dû les rencontrer lors des réunions parents-professeurs, mais les visages défilent dans ces soirées, et aucun ne marque, en fin de compte. Néanmoins, si vous étiez né riche, vous ne vous sentiriez pas obligé de me présenter l'appartement comme un agent immobilier.

— Vous êtes exactement comme dans mon souvenir. Sans concession.

— Et bienveillant tout de même, j'espère. Cela dit, vous n'avez pas répondu à ma question.

— Fier ? Je crois, oui. C'est mal ?

— Certainement pas. Vous n'avez marché sur personne pour gravir l'échelle sociale, à ce qu'il me semble. C'est rare. De toute façon, personne n'a le droit de vous juger.

— À part les critiques. Le public. Les galeristes. Les clients. Les municipalités. Les élus régionaux. Les journalistes. Les autres artistes. Ils passent leur temps à me disséquer.

— Vous ou votre travail ?

— C'est la même chose, non ?

— Je ne sais pas. Je vous connais très peu.

— Vous êtes un drôle de bonhomme, quand même.

— J'aime bien le "quand même" et ce qu'il sous-entend.

— En face de vous, j'ai l'impression de me retrouver en classe.

— J'en suis désolé.

— Ce n'est rien. Je vous ai déjà dit que ce ne sont pas des souvenirs douloureux. Qu'est-ce que vous avez pensé de la rétrospective, l'autre soir ? Je vous ai cherché après le discours, mais vous vous étiez éclipsé.

— Je n'ai pas de vraie culture picturale. Mon avis n'a aucune valeur.

— Je ne cherche pas l'opinion d'un spécialiste. J'aimerais seulement savoir comment vous trouvez les toiles. Leur évolution. Ne vous inquiétez pas, je ne vais pas vous tirer les vers du nez. Contrairement à ce que vous faisiez en cours.

— Pardon ?

— Vous nous torturiez, monsieur Claret ! Il fallait toujours que nous ayons une opinion sur tout. Évidemment certains ne demandaient qu'à prendre la parole et d'autres, comme moi, à se blottir en attendant de repasser à l'écrit. Pourtant vous insistiez. Vous fouilliez dans les recoins. Vous interrogiez les silencieux.

— C'est mon travail. Je dois pousser à l'expression.

— Par moments, j'étais à l'agonie.

— Je croyais que ce n'étaient pas des souvenirs douloureux. »

Alexandre éclate d'un rire bref et sec. Son corps en est presque désarticulé pendant quelques instants.

« Vous marquez un point.

— Ce n'est pas un match, j'espère. Sinon, je raccroche les gants tout de suite. Je ne sais pas me battre, et il est hors de question que j'affronte un ancien élève.

— Pourquoi ? »

Quelques secondes de silence. Un soleil d'automne entre par la baie vitrée. Au loin, un avion emporte des inconnus vers une destination incertaine, ne laissant derrière lui qu'une trace qui se confond avec les nuages.

«Je ne sais pas comment vous expliquer ça. Je crois qu'un enseignant signe un contrat tacite avec ses élèves, la première fois qu'ils pénètrent dans sa salle. Cela va au-delà du pacte de non-agression. C'est un accord qui stipule que, même par-delà les années, entre nous, il y aura du respect et… comment dire… une protection mutuelle. Je ne suis pas sûr de bien me faire comprendre.

— Je doute surtout que ce sentiment soit partagé par vos collègues. Et par certains des gamins que vous avez en face de vous.

— Laissez-m'en l'illusion, Alexandre. Je n'ai plus que quelques années à sévir.

— Vous êtes très fort pour noyer le poisson. Vous n'avez toujours pas répondu à ma question.

— D'accord. Les premières toiles que j'ai vues, il y a quelques années, me paraissaient intéressantes et perturbantes. Les foules. Les cris muets. Une sorte de Munch mondial. La seconde période aussi, avec ces visages déconstruits ou boursouflés, même si, à nouveau, je me sentais extérieur à vos questionnements, parce que ce que je cherche avant tout, à cette période de ma vie, c'est de la douceur. Une lucidité tendre, si vous voulez. Sans doute en raison de la fatigue et de l'émoussement. D'un affadissement général de ma personnalité.

41

— Je ne vous trouve pas particulièrement fade.

— Parce que vous ne me fréquentez pas.

— Et les tableaux suivants ? Les plus récents ?

— Vous êtes sûr de vouloir l'entendre ?

— Cela commence mal.

— Vous vous répétez, Alexandre. Vous tournez en rond. Je ne trouve pas que mêler vos deux périodes pour en créer une troisième soit une bonne idée. On dirait que vous êtes dans une impasse et que vous vous débattez. Mais, une fois de plus, je n'y connais rien. Il faudrait demander l'avis de personnes plus qualifiées que moi, et je suis certain que vous l'avez déjà fait.

— Non. Ni conseil ni opinion. Je trace mon chemin, voilà tout. Advienne que pourra.

— C'est très bien comme ça. Oubliez ce que je viens de dire.

— Certainement pas. Merci de votre franchise.

— Je vous ai blessé.

— Non. Oui. Peu importe. Ce que je voulais, c'était vous entendre.

— Je ne suis pas sûr de vous suivre.

— Je me familiarise avec vous. J'ai besoin de ce sentiment. La familiarité. De partager de longs moments avant.

— Avant quoi ?

— J'ai une faveur à vous demander.

— Vous commencez franchement à m'inquiéter, jeune homme.

— Il y a de quoi. Cependant rassurez-vous, je ne suis pas gérontophile. En tout cas, sexuellement parlant.

— Tout cela est obscur, Alexandre.

— Venez, j'ai quelque chose à vous montrer.»

Je le suis. La porte de la salle de bains est ouverte. J'aperçois mon reflet. Un homme vieilli. Un éreinté qui tente de tenir la dragée haute au temps mais n'y parvient pas. Nous passons devant ce qui doit être la chambre d'Alexandre. Elle est dans un désordre indescriptible, qui tranche avec la propreté presque clinique du reste de l'appartement. Une autre porte, en face. Une grande pièce sombre malgré les deux fenêtres. Les volets roulants sont descendus et ne laissent percer aucune lueur. Une odeur de renfermé. Alexandre appuie sur l'interrupteur. Une ampoule nue. Je cligne des yeux. Je mets quelques secondes avant de m'habituer à la crudité de la lumière. Quand enfin ma rétine évacue les points colorés, le triptyque me saute à la gorge.

Une femme. Un homme. La même femme et le même homme, côte à côte.

Un peu plus âgés que moi. Défaits. La mine allongée. Les lèvres sèches. Des plis amers aux commissures. Ils se tiennent debout. Raides. Du brun. De l'ocre. Un vert-de-gris nauséeux qui rappelle la boue dans les champs de betteraves, l'hiver. Ou la glaise. Oui, la glaise.

Elle s'est mise sur son trente et un. Elle devrait en être fière, pourtant elle ne se sent pas à l'aise. Elle a envie de se gratter le cou et l'aisselle, mais elle est figée. C'est un moment désagréable à passer. Un parmi d'autres. Elle s'est résignée. Elle n'a pas sorti cette robe depuis des années. Du coup, les couleurs ont fané, mais quelle importance puisque tout est délavé, puis souillé par le temps et la terre, puisque tout prend cette teinte écœurante, celle des bottes en caoutchouc et de la viande avariée. La mèche qui vient de tomber sur son front la dérange. Elle aimerait la remettre en place. La discipliner. C'est important, la discipline. C'est décisif. Nous avons tous notre place dans le monde et nous devons la garder. Tenter de s'élever est contre nature. Obéir. C'est notre lot. Il n'y a rien d'autre à dire.

Il a enfilé un costume. La coupe est un peu fatiguée. Lui aussi. Mais il a l'intention de porter beau. Pas assez pour sourire, néanmoins. Il sait que c'est important, les portraits. Ce sont des messages pour les enfants à venir. Des témoignages de nos valeurs. De notre humilité. De notre résistance aux changements et à l'esbroufe. De notre mépris pour les écrans de fumée et les châteaux en Espagne. De notre foi en la persévérance et en l'agencement quotidien de jours immuables. Nous garderons notre place à ce prix. Autour, le monde pourra bien s'écrouler, nous resterons droits dans nos bottes. Immuables. C'est notre force. Notre credo.

Je m'approche doucement. Je ne veux pas qu'ils me remarquent. J'ai envie de les toucher. De les secouer. De les rassurer aussi. Tout est très confus. Je sens le souffle d'Alexandre Laudin à côté de moi. La vie prend parfois des tournures étonnantes. Jamais je n'aurais cru un jour me retrouver dans une pièce vide avec lui, nos regards et nos pensées happés par les mêmes silhouettes. Dans cette intimité étrange et presque désagréable.

« Mes parents. »

Je l'écoute à peine. Je suis entré dans un dialogue muet avec cet homme et cette femme. Je crois que nous nous comprenons. Toute cette énergie dépensée, pendant tant d'années, toutes ces soirées passées à guetter le moindre bruit, toutes ces nuits d'angoisse parce qu'une toux, parce qu'un sifflement dans la poitrine, parce qu'une fièvre, parce qu'une oreille douloureuse, parce que les cauchemars. Tout ce temps où nous nous sommes mis entre parenthèses, parce qu'ils étaient plus importants que nous, parce qu'ils étaient la prochaine génération, l'avenir, l'espoir, et parce que nous devions les protéger, parce que c'était le rôle qui nous incombait. Nous prétendons que les années ont filé à toute allure, que nous avons à peine eu le temps de nous retourner – en vérité elles nous ont laissés

45

exsangues, les traits tirés, des taches violacées et rouges sur notre peau et dans nos mémoires. La maison est silencieuse, soudain. Nous tournons en rond. Devant le miroir de la salle de bains, nous nous faisons face. Nous nous reconnaissons à peine. Les bruits paraissent étouffés. Comment allons-nous occuper les semaines et les mois à venir ?

Nous nous sommes perdus, Anne et moi. Nous nous sommes séparés moins de deux ans après le départ des filles. Nous ne l'avions pas planifié. Au contraire. Nous pensions qu'enfin nous pourrions nous retrouver. Nous avions prévu des activités, des rendez-vous hebdomadaires pour pratiquer ces disciplines de méditation sportive qui nous apporteraient le nirvana : qi gong, shiatsu, Pilates, bols tibétains ; des heures passées à étudier l'aquarelle ou à apprendre des textes et des mimiques dans une troupe de théâtre amateur. Et puis, nous allions pouvoir enfin nous consacrer pleinement à notre travail. Nous qui avions mis de côté les innovations technologiques, nous allions enfin nous y plonger avec délice. Nous n'avons rien fait de tout ça. En tout cas, pas ensemble. Très vite, nous nous sommes rendu compte, avec un étonnement teinté d'ironie, que nous n'avions plus les mêmes aspirations et que ce qui nous avait attirés chez l'autre – cette nervosité palpable, chez moi, cette méticulosité suspecte chez elle – nous insupportait désormais.

Nous nous sommes rendu notre liberté d'un commun accord, avec beaucoup de tendresse et de respect. Nous étions satisfaits du travail que nous avions accompli. Il était temps de tourner la page. Mais je parle en son nom, alors qu'au fond j'ignore ce qu'elle a ressenti. Quelques mois plus tard, elle rencontrait Gauthier, *via* un site tombé en désuétude, qui mettait en relation d'anciens camarades de classe. C'est avec lui qu'elle a peint, couru, bougé, voyagé, pour dernièrement se pencher sur la permaculture et la monnaie locale. Elle est maintenant partie prenante d'un groupe d'activistes militant pour une nouvelle économie plus juste et plus respectueuse de l'environnement. Quand je la croise en centre-ville, elle n'est jamais seule ; et quand nous nous téléphonons, elle revient toujours d'une réunion quelconque. Elle m'a demandé plusieurs fois de me joindre à ces assemblées, j'ai décliné. Je ne souhaite pas jouer les ex qui s'accrochent.

Une rafale de vent dehors. Le volet roulant émet un miaulement. Je sors de ma léthargie active. L'hypnotiseur est toujours à mes côtés.

« Qu'est-ce qu'ils en ont dit, Alexandre ?

— Ils ne sont pas au courant. J'ai travaillé à partir de photos. De celle de leur mariage plus précisément. Je... J'ai cherché à reproduire le cliché en intégrant le passage du temps.

— C'est terrible.

— Vous trouvez ? Alors, je suis content. Même

si cela signifie que les tableaux ne quitteront jamais cette pièce. De toute manière, personne ne les a encore vus.

— Ils datent de quand ?

— Cet été. Je me suis enfermé pendant des heures là-haut. Il faisait une chaleur étouffante. Tout le monde était parti en vacances. Je me suis isolé avec eux. J'ai entamé une conversation.

— Un réquisitoire, plutôt.

— Je ne crois pas, non. J'espère que je les ai respectés. Vous trouvez le trait trop dur ?

— Je ne connais pas vos parents.

— Ce n'est pas une réponse.

— Disons qu'il n'y a aucune concession.

— Merci.

— Pourquoi moi, Alexandre ? »

Je me tourne vers lui. Son profil dans la lumière crue. La rougeur à la base de son cou, qui menace de tout envahir, oreilles, joues, front, qu'il parvient à contenir en serrant les mâchoires et en plissant légèrement les yeux. Je souris. Lorsque j'ai mentionné le nom d'Alexandre Laudin dans la salle des professeurs, quelques jours après le vernissage, aucun enseignant ne se rappelait l'avoir eu en cours – la plupart de mes collègues étaient encore étudiants il y a vingt ans –, à part Géraldine Lefèvre, qui partira à la retraite l'an prochain, et la première chose qu'elle a évoquée a été la rapidité déconcertante avec laquelle Laudin (Géraldine s'adresse toujours à ses élèves par leurs noms de famille et insiste sur le vouvoiement) rougissait. Dans sa matière, les sciences de la vie et de la Terre, dès qu'un sujet un tant soit peu scabreux était abordé, ou lorsqu'elle avait le malheur de lui reprocher son attitude trop passive, il devenait écarlate. Mentalement, elle l'avait appelé la Pivoine. « Ce n'est pas si étonnant, finalement, avait conclu Géraldine d'un ton péremptoire, qu'il se soit donné à la couleur. » Regards appréciateurs. Applaudissements muets. La salle des profs est une scène de poche où chacun de nous tente, par moments, de devenir maître de comédie. Lorsqu'elle avait évoqué le surnom d'Alexandre, j'avais presque touché du doigt un souvenir. Je l'avais entrevu pendant un dixième de seconde, troisième place, rangée de droite. Gauche. Mal à l'aise. Rubicond. Et puis les portes s'étaient refermées et l'image était redescendue dans les tréfonds de ma mémoire. Laudin me restait une énigme. Je ne parvenais pas à le remettre.

Son cou reprend sa teinte normale – un beige presque blanc. Il murmure : « Je crois que vous l'avez déjà deviné. » Il a raison, mais je veux l'entendre me le confirmer. Cela semble si improbable.

« Vous voulez faire mon portrait ? »

Il pivote. Il est face à moi. Cette fois-ci, il laisse toute la place au pourpre. La teinte s'étale progressivement, grimpant le long de la pomme d'Adam, montant à l'assaut du menton et du nez puis déployant ses ailes jusqu'à la racine des cheveux.

«J'en ai très envie, oui.»

Dans les quelques secondes qui suivent, nous plongeons dans le regard l'un de l'autre. Le sien est un lac immobile et trompeur. Le bleu y est presque métallique.

«Je ne comprends pas pourquoi.

— Moi non plus, monsieur Claret. Je crois que je vais découvrir les raisons qui m'y poussent au fur et à mesure. Ou quand j'aurai terminé la toile. Ou jamais. J'imagine que ce n'est pas une réponse satisfaisante.

— Au moins, elle est honnête.

— Tout ce que je peux vous dire, c'est que j'ai compris en vous voyant l'autre jour que vous aviez joué un rôle important dans ma vie. J'ai pensé à vous toute la soirée, une partie de la nuit, et régulièrement pendant la semaine suivante. Vous êtes devenu une obsession.

— Vous me faites peur.

— Cela arrive souvent. Pourtant, il n'y a rien à craindre.

— Je n'en suis pas aussi sûr que vous, maintenant que j'ai vu ces portraits.

— Vous n'êtes pas mon père.

— Je vais y réfléchir.

— Il y a quelque chose en vous qui m'émeut. C'est mince, comme argument.

— Et chez vos parents ?

— Sans doute aussi, oui. Mais l'agacement primait. Avec, en plus, l'angoisse de les voir disparaître. Je suis très confus, non ? »

La rougeur a disparu. Je n'ai jamais été sujet à ce type de réaction physique. Je me demande jusqu'où la couleur se propage – début de la poitrine, épaules, avant-bras ? Voilà bien une interrogation incongrue, mais les questions se bousculent dans mon esprit.

« Je suis un peu perdu. Je vais rentrer chez moi.

— Bien sûr. Avant que vous partiez, je voudrais préciser certains points, pour que vous puissiez vous décider en connaissance de cause. Je ne travaillerai pas à partir de photographies cette fois. J'ai envie d'un retour à un certain… comment dire cela… classicisme. À des périodes de calme. De concentration. À de la lumière naturelle. À de l'huile. Je pense même que je fabriquerai certains pigments. Le brun, notamment. Du format 92 × 60, pour les toiles. Pas trop grand. Ni trop étriqué. Nous nous installerons dans l'atelier. Je veux de l'espace. Vous, vous vous mettrez sur une des chaises du salon. Avec ce pull quelconque que vous portiez l'autre jour. Gris. Anthracite. Vous voyez ?

— Je n'ai pas encore accepté. »

Il ne m'écoute pas vraiment. Il soupire. Ses épaules s'affaissent. Il explique qu'évidemment cela impliquera des séances de pose. Longues.

Fatigantes. On n'imagine pas les courbatures qui vous assaillent lorsqu'on est forcé de rester immobile pendant trois ou quatre heures. Et puis, je n'ai peut-être pas de temps à lui consacrer. Mais ce serait dommage, non? Car nous aurions alors l'occasion de discuter, de nous connaître. Il ajoute qu'il n'a pas besoin de grandes plages de silence. Ce qu'il cherche avant tout, c'est le naturel. La familiarité. Et l'essence. L'essence de l'autre. Oui, l'essence de l'autre. Il hoche la tête plusieurs fois. Je pense à Pinocchio dans l'atelier de Gepetto. Je reprends mon manteau. Je promets que je lui ferai signe rapidement. Je tressaille lorsque mon regard croise le sien, cette fois. Le lac a été englouti dans une faille immense. Ne subsistent que les traces de l'eau. Un délavé. Un coulé.

Je reste quelques minutes interdit devant l'entrée de l'immeuble. Je n'ai pas traversé un tel maelström d'émotions contradictoires depuis des années. Depuis la naissance de mes filles, peut-être. Plus avant encore. Je marche le long du trottoir. J'ai du mal à revenir au quotidien. Mais je ne pense pas que ce soit un mal. À l'intérieur, dans la cage thoracique, il y a un tambour comme j'en ai rarement connu. Cette impression de cheminer sur la corniche étroite d'une montagne. Et, curieusement, de ne pas avoir peur.

Je sais que je vais dire oui.

«Vous êtes bien installé?»

Je ne peux m'empêcher de ricaner. Je suis assis sur une chaise en bois blanc, en plein milieu d'une pièce vide dont le plancher a été recouvert d'une immense bâche en plastique. La verrière laisse entrer une lumière terne de début novembre. Dehors, les nuages gris se pourchassent et fondent par moments en averse brutale.

«N'hésitez pas à me dire si vous avez besoin de quoi que ce soit.

— J'ai l'impression d'être à l'hôpital, face à une infirmière débordée mais prévenante.

— Je suis aussi intimidé que vous, monsieur Claret.

— Est-ce que je peux vous demander une faveur?

— Tout ce que vous voudrez.

— Abandonnez le monsieur. Je m'appelle Louis.

— Je n'y arriverai pas.

— Bien sûr que si. Je connais la fierté que ressentent les anciens élèves quand ils peuvent enfin utiliser le prénom de leurs professeurs.

— Je vais essayer.

— Comment dois-je me tenir?

— Droit. Enfin, je crois. Je vais beaucoup tâtonner, vous savez. Je suis désolé. J'espère ne pas vous faire perdre trop de temps. En tout cas, je ne vais pas vous torturer. Prévenez-moi quand vous en aurez assez.

— Vous n'avez ni pinceau, ni palette, ni toile. Vous êtes un drôle de peintre.

— Pour le moment, je vais me contenter d'esquisses. Je vais crayonner. Mettre en couleurs avec des craies grasses. Je... Je vais m'installer en face de vous, si ça ne vous dérange pas. »

Il prend une chaise semblable à celle sur laquelle je me suis assis, jambes croisées. Je souris.

« C'est d'une grande intimité, non?

— C'est sans doute ça, le plus troublant. La proximité. L'observation minutieuse. Être dévisagé. Décortiqué. Plus que le rendu du tableau en lui-même. Vous pouvez encore refuser, monsieur... enfin, Louis.

— J'ai accepté les conditions tacites.

— Merci. J'en suis très touché.

— D'ailleurs, je ne comprends pas encore très bien pourquoi j'ai donné mon accord, au fond.

Mais je me tais, vous avez sans doute besoin de concentration.

— Oh non... non, non, non. J'aimerais mieux que nous parlions. Il me faut de la fluidité. La situation est déjà tellement artificielle. Et puis, je vais vous découvrir, peu à peu.

— C'est une mise à nu, Alexandre. »

Je m'attends à ce qu'il s'empourpre de nouveau, il n'en fait rien. Il relève la tête et plonge ses yeux dans les miens. Au fond de ses pupilles, il y a une insolence et une sauvagerie que je n'avais encore jamais vues. Sa voix est claire quand il répond que oui, c'est exactement cela. Et que pour cette raison il m'est encore possible de renoncer. Maintenant, et à tout moment, si je trouve que le jeu n'en vaut pas la chandelle, ou que je me dévoile plus que je ne souhaiterais. Il va me fouiller, creuser, chercher ce qui s'est tapi sous les paillassons de ma mémoire et de mon corps. Il lâche un rire sec et ajoute qu'il y a de quoi prendre ses jambes à son cou quand on l'entend, alors qu'il souhaite tout le contraire. Mon immobilité. Ma vérité. Dehors, une bourrasque plus forte que les autres. Les vitres tremblent. Son regard dévie quelques secondes et, quand il revient vers moi, il a perdu son éclat. À la place, de la douceur. Un océan de douceur.

« Je vous dessinais souvent, quand j'étais élève. »

Il prend le fusain et le carnet sur le bar. Crissement léger du crayon sur le papier. Un frisson naît au bas de mon dos et remonte lentement jusqu'à ma nuque. Va-et-vient des yeux d'Alexandre de mon corps à ses doigts. Il s'absorbe dans sa tâche. Je prends une profonde inspiration. Je voudrais retrouver une sérénité. Je me perds dans la contemplation du mur, par-delà l'épaule d'Alexandre. Peu à peu les angles s'adoucissent. Devant mes yeux, de petits cercles lumineux. Des poussières phosphorescentes. Des couleurs naissent. Le mauve de la bruyère qui s'accroche aux roches. Le lichen qui envahit la pierre et la rend végétale. Au loin, la courbe d'un loch. Le vent siffle en longeant la carrosserie et s'engouffre par rafales dans l'habitacle. Le chuintement des pneus sur la route encore humide. L'averse est passée, rehaussant les teintes. C'est magnifique. J'en ai le souffle coupé.

Le profil d'Arnaud. L'arête de son nez. Son regard perçant qui tentait d'embrasser le paysage. Nous étions seuls à des kilomètres à la ronde. C'était le début du mois de juin. Il avait sonné à la porte du studio où j'habitais, solitaire depuis que Nina avait décidé d'en claquer la porte quelques semaines auparavant. Il était nerveux. Il ne tenait pas en place. Il avait l'impression de se heurter aux cloisons trop étroites d'une existence qui se dessinait devant lui et qu'il n'avait pas choisie. Une amoureuse dont il se détachait alors qu'elle souhaitait officialiser leur relation. Un métier de dentiste pour lequel il avait trimé et dont il sentait qu'il ne retirerait que des frustrations. Des parents qui avaient fui l'Espagne franquiste des années 60 et qui attendaient de lui la réalisation de tous les rêves auxquels ils avaient eux-mêmes renoncé. Sur le minuscule canapé de mon appartement minuscule, il racontait qu'il se réveillait en sueur, toutes les nuits. Il avait besoin d'air, d'espace, de distance. L'angoisse était montée tout au long de la journée. Il terminait dans notre ville d'origine un remplacement de trois semaines. Il devait ensuite monter vers le nord, Hénin-Beaumont, où un autre cabinet attendait sa venue parce que l'une des associées partait en congé maternité. Il multiplierait ainsi les contrats ponctuels pendant un an ou deux, et ensuite il aurait rendez-vous avec des banquiers, il signerait des prêts, il serait enchaîné pour deux décennies. Il commençait à comprendre pourquoi il y avait autant de dépressifs ou d'alcooliques chez les dentistes. Il avait soif. Il voulait de la vodka. Je l'ai noyée dans du jus d'orange. Pour faire dévier la conversation, je lui ai demandé où il aimerait être en ce moment. Une moue. Des réponses trop évidentes – New York, Las Vegas, Rio. Et puis cette esquisse de sourire blasé qui signalait chez lui le passage aux confidences. « En Écosse, a-t-il murmuré. N'importe où en Écosse. Quand j'étais en sixième, je collectionnais les images plastifiées qu'on trouvait dans les boîtes de chocolat en poudre. La série s'appelait "Beautés du Monde". Il y en avait une qui me plaisait particulièrement. Un paysage presque sauvage. Une route qui serpentait dans les Highlands. Un lac, en contrebas. Je l'avais collée sur la première page de mon cahier d'anglais. Chaque fois que la prof commençait à s'énerver et que sa voix grimpait dans les aigus, je me réfugiais dans la photo pour calmer les battements de mon cœur. Tout s'effaçait autour de moi. C'était magique.

— *Et tu n'y es jamais allé ? Ce n'est pas si loin, pourtant. »*

Arnaud avait haussé les épaules. Émis un grogne-ment. Le travail. La routine. Le quotidien. Sa fian-cée ne rêvait que d'Amérique. Je ne l'ai pas laissé finir sa phrase. Je me suis levé. J'ai dit « On y va », et dans les yeux d'Arnaud, il y a eu de l'incompré-hension et une vague inquiétude. « Où ? — Eh bien, en Écosse. Je prends des pulls pour deux. » J'avais commencé en hâte à fourrer quelques affaires dans mon sac à dos. « Tu as ta carte d'identité ? J'ai un peu d'argent. Je le changerai sur le bateau. » Tout ce qu'Arnaud a réussi à bredouiller, c'est « Mais pour-quoi ? », or je n'avais aucune explication satisfaisante à fournir. Rien d'autre que la perspective d'un autre week-end solitaire et déprimant, coincé entre les deux Velux de mon studio. Celle d'une existence défrichée où les dérapages seraient à jamais contrôlés. Lorsque j'ai tourné la clé de contact, l'horloge de la voiture indiquait vingt et une heures. Arnaud était médusé. Je n'étais pas le genre de garçon à prendre des initia-tives, d'habitude. J'avais tendance à me laisser por-ter par les courants. Nous nous sommes arrêtés sur une aire d'autoroute pour grignoter des sandwiches et des chips. Les lumières rouges et jaunes de la station-service éclairaient un univers nocturne que nous avions oublié. Nous avons pris le ferry au milieu de la nuit. Je dormais sur la banquette en Skaï, la tête touchant les genoux d'Arnaud. La première chose que j'ai vue en me réveillant, ce fut son sourire.

Le samedi soir, nous déambulions, extatiques et harassés, dans les rues d'Édimbourg. Nous savions qu'au mieux nous ne serions pas rentrés avant mardi, mais cela n'avait aucune importance. Arnaud était entre deux contrats. Je laisserais un message laconique à mes supérieurs, dans le collège où je sévissais depuis la rentrée scolaire – un problème familial urgent, une indisponibilité temporaire, je rattraperais les heures par la suite, désolé encore. En sortant du pub où nous avions vidé des pintes en nombre, Arnaud a enfoncé ses mains dans les poches de son blouson et a hurlé « une vie comme ça ». Nous avions retrouvé le chemin des aventures auxquelles nous avions renoncé. Nous avions vingt-cinq ans. Les années 80 se déroulaient dans un fracas d'argent sale. Je m'étais rêvé Kerouac sur les routes, à la rencontre de vies croisées et partagées. Arnaud s'était imaginé libertaire radical. Nous étions assez lucides pour comprendre que cette escapade ne serait sans doute qu'un accroc sur les chemins que nous allions prendre, mais nous avions envie de croire qu'elle était le début d'un sentier neuf. Et que tout était encore possible. Nous ne pouvions pas deviner que, quelques années plus tard, j'allais rencontrer Anne au cours d'une soirée improvisée dans les combles d'un ancien théâtre ni qu'elle tomberait très vite enceinte, déjouant tous nos pronostics, modifiant toutes nos perspectives. Impossible de prévoir non plus que, six mois après la naissance de Pauline, Arnaud allait enfin se fixer, acheter cet appartement au septième étage qu'il convoitait depuis quelque temps, ni qu'au cours de la soirée organisée pour la pendaison de sa crémaillère, à laquelle je ne pourrais pas participer car ma fille était malade, il allait être victime d'une bouffée délirante et que, persuadé soudain d'être capable de voler, il allait s'élancer de son nouveau balcon.

Pour le moment, nous sommes dimanche.

Dimanche matin.

Nous sommes partis très tôt de l'auberge de jeunesse. Nous avons renoncé à suivre la carte. Nous nous dirigeons vers le nord. Quand je passe mes doigts sur mon visage, je sens la barbe qui reprend ses droits. Nous nous arrêtons au sommet d'une presque montagne déchiquetée. En contrebas, un loch dont nous ignorons le nom. Les nuages filent à toute allure vers l'océan. Personne, à des kilomètres à la ronde. De l'orange. Du brun. Du mauve. Lichens, roches, bruyères. Un sourire s'épanouit sur le visage d'Arnaud. Il murmure : « C'est là. » Il murmure : « Écoute. » Il a baissé les vitres et coupé le moteur. Il desserre le frein à main. Alors que nous amorçons la descente à pic, il n'y a plus d'autre son que celui des bourrasques qui s'engouffrent en sifflant dans l'habitacle et font trembler le pare-brise. Mon ventre se noue tandis que mes yeux s'agrandissent pour avaler le paysage. Lorsque les larmes viennent, je ne sais pas si elles sont dues à la beauté du monde ou à la gifle du vent. Une partie de moi reste là, en suspens – à jamais.

Je recule ma chaise de quelques centimètres. Je me frotte les yeux. Je suis épuisé, tout à coup. Je relis les lignes que je viens de tracer sur ce cahier de brouillon acheté à la va-vite en revenant de chez Alexandre. Je suis éberlué. Cela fait des années que je n'ai rien rédigé d'autre que des préparations de cours et des listes de tâches à effectuer. À l'adolescence, oui. Je me rappelle un journal intime qui n'a pas dû dépasser quelques mois et qui s'est perdu dans les déménagements. Deux ou trois nouvelles à l'inspiration vaguement fantastique au moment où je découvrais les dystopies célèbres. Un début de roman, dix ou vingt pages, et puis la certitude, rapidement, que l'histoire ne décollerait jamais et que ce n'était pas ma voie. Je rebouche le stylo. Écrire à la main. Surprenant, également. Moi qui ne jure que par les touches du clavier. Je ressens dans l'épaule des crispations que j'avais oubliées.

Pour la première fois, j'ai besoin de mettre à distance ce qui vient de m'arriver. D'habitude, je me plante dans le sol, je baisse la tête, je tends la nuque, et je fais front. Mais là, dans l'atelier, c'était très différent. Il ne s'agissait pas de problèmes à résoudre ou de manques à pallier. Il y avait cette douceur, partout. Dans les images qui revenaient, comme ces troncs d'arbres enfouis depuis des années au fond des lochs qui, soudain libérés de leur pesanteur, remontent une dernière fois dans un tourbillon de bulles et viennent troubler la surface avant de se désagréger totalement. C'était très étrange. Je savais que j'étais chez Alexandre Laudin. Qu'il dessinait mon visage sous tous ses angles à grands coups de fusain. Que j'avais cinquante-huit ans. Que j'étais divorcé, père de deux filles adultes. Que j'enseignais l'anglais depuis plus de trente-cinq ans. J'étais conscient du mur blanc en face de moi. De l'éclat de lumière que renvoyait la porte vitrée. Et pourtant, je n'étais plus tout à fait présent. Je voyais Arnaud. J'étais sûr que, si je déplaçais ma main de quelques centimètres, je le toucherais. Son bras. Sa peau.

Je n'ai trouvé que du papier et ce stylo-bille bleu pour tenter de le retenir encore. Mais les mots n'ont pas la même force et ne donnent vie qu'à une sensation fantôme. Je suis hanté. J'ai hâte de revenir chez Laudin, pour vérifier si je peux conjurer les esprits à nouveau, tandis qu'il tente de dérober mes traits.

Mon portable vibre. C'est Iris, ma fille cadette. Elle veut prendre de mes nouvelles et m'invite à me connecter sur Skype. Son visage sur l'écran. Elle est assise à son bureau, dans cet appartement minuscule qu'elle m'a fait visiter virtuellement l'autre jour. Elle s'excuse de sa tenue. Elle est en jogging. Elle vient d'aller courir dans la ville avec son amoureux. Il est dix heures du matin à Montréal. Oui, son boulot, ça va, ce n'est pas aussi passionnant qu'elle le souhaiterait, mais bon. Elle parle très souvent anglais avec ses collègues de Toronto ou d'Ottawa. Elle est devenue totalement bilingue, assure-t-elle. Elle est sûre d'être meilleure que moi, désormais. Je n'en doute pas une seconde. Contrairement à la plupart de mes collègues, je n'ai jamais séjourné une année entière dans un pays anglo-saxon. Les places d'assistants linguistiques étaient rares. J'étais attaché à ma ville et à mes amis. J'avais besoin d'argent et d'indépendance. Je me suis présenté aux concours de l'Éducation nationale et j'ai été reçu. Je ne me suis pas posé de questions. Ensuite, seulement, le manque s'est fait sentir. Iris veut savoir ce que j'ai fait de mon dimanche. Je hausse les épaules. Rien d'extraordinaire. Elle soupire. Elle ajoute qu'il faudrait que je me secoue, quand même. Je tique.

« C'est-à-dire ?

— Je ne sais pas. Inscris-toi à des activités, comme maman. Rencontre du monde. Ce n'est pas bien de rester à broyer du noir tout seul.

— Je ne broie pas du noir, Iris. Je me sens même plutôt en forme.

— Ce n'est pas l'avis de Pauline. Elle t'a trouvé déprimé la dernière fois qu'elle t'a vu.

— Tu connais ta sœur. Elle parle tout le temps et, ensuite, elle se plaint qu'on reste silencieux. »

Iris glousse, de l'autre côté de l'écran. Il suffit de jouer sur la rivalité sororale pour faire dévier la conversation. Le stratagème fonctionne à merveille. Nous devisons encore pendant quelques minutes. Je ne mentionne pas Alexandre Laudin. De son côté, elle ne dévoile rien de sa vie sentimentale, de ses enthousiasmes ou de ses douleurs. Nous nous laissons submerger par les détails du quotidien, qui noient nos vraies préoccupations. Nous nous contentons de nous sourire, d'utiliser la dérision et l'ironie tendre. Plus les années passent et moins nous osons entrer dans l'intimité l'un de l'autre. Nous restons à la porte de nos logements respectifs, par écran interposé. Il y a bien longtemps que j'ai oublié l'odeur de ses cheveux. Mais au moment où la conversation cesse sur un dernier éclat de rire forcé et où l'écran devient noir, les années fondent sur moi. Je suis sur le point de me préparer un café quand une vibration interrompt encore le fil de mes pensées. Toutes ces sensations nouvelles qui ont remplacé le bruit de la sonnette ou celui du téléphone fixe… Je fais de mon mieux pour intégrer à ma vie personnelle et professionnelle les évolutions technologiques. Je n'y parviens pas tout à fait. Parfois, je me prends à rêver que le progrès s'enraye et nous rejette sur un rivage vierge, ahuris et désœuvrés. Que les pellicules redeviennent argentiques. Que les selfies s'effacent au profit de portraits lentement réalisés au crayon ou à l'huile.

Le nom d'Alexandre Laudin s'affiche. Je décroche machinalement. Il est rentré plus tôt que prévu. Le problème, c'est qu'il déteste dîner seul le dimanche soir. Est-ce que je l'accompagnerais au restaurant ?

« Je suis votre bouche-trou, Alexandre ? »

Son rire de l'autre côté de la ligne. J'accepte, bien sûr. Comment faire autrement ?

Nous sommes dans l'une de ces cantines asiatiques qui ont fleuri ces vingt dernières années dans les zones commerciales à l'extérieur des villes. Dehors, des parkings déserts. Des chariots qui frémissent sous les assauts du vent. Une obscurité glacée en ce début novembre. À l'intérieur, un couple de sexagénaires et leur minichien. L'épouse est très maquillée et picore l'assortiment de légumes au wok qu'elle a choisi au buffet. Le mari s'empiffre de toutes les spécialités frites qu'il a pu trouver. Plus loin, une famille ou ce qu'il en reste. Les quatre membres sont collés à leur téléphone portable respectif. Les écrans se reflètent sur leurs visages. Ils ont à peine touché à leurs plats. Ils sont d'ores et déjà virtuels. Les haut-parleurs crachotent une version japonisante des succès d'Édith Piaf.

« C'est un drôle d'endroit.

— Le dimanche soir, on n'a pas beaucoup de choix, monsieur Claret. Enfin, Louis. Et puis je suis plutôt friand de ce genre de lieux. Je les trouve très inspirants.

— C'est cohérent avec ce que vous peignez. Si la fin du monde survenait pendant que nous sommes ici, personne n'y trouverait à redire.

— Même pas vous ?»

Il ne me laisse pas répondre. Explique qu'à vrai dire ces non-restaurants sont très reposants. Pas de serveur obséquieux ni de patron qui vous force la main pour vous faire goûter la piquette locale. Aucune chance non plus de croiser un client qui pourrait vous reconnaître et vous embarrasser par une boutade inopportune ou des regards trop appuyés. L'anonymat le plus complet. Dans les villes de province, c'est une denrée rare.

«Parlez pour vous, Alexandre.

— Je suis sûr que vous partagez mon opinion. Après tout, vous enseignez ici depuis longtemps, non ?

— Plus de trente-cinq ans.

— Et vous n'avez pas envie d'être à portée de voix d'un collègue ou d'un ancien élève. De voir votre tranquillité troublée tout à coup.

— Vous êtes un de mes anciens élèves. Je n'ai pas peur de ceux qui ont assisté à mes cours. Je suis souvent content d'avoir de leurs nouvelles. Ce qui m'ennuierait davantage, ce serait de croiser un de ceux qui me subissent en ce moment.»

Un silence à peine ponctué par une voix de

crécelle asiatique matraquant *L'Hymne à l'amour*.
Un sourire naît sur les lèvres de Laudin.

« Je suis sûr qu'ils sont aussi captivés que je
l'étais.

— Je suis convaincu du contraire. Mais ce
n'est pas le sujet.

— J'aimais bien entendre votre voix. J'étais
aussi époustouflé par votre sens de la repartie.
Vous parveniez à clouer le bec à tous les coqs de
basse-cour.

— Ce n'est pas si difficile, au fond, quand
vous êtes le fermier.

— Ce type, par exemple… Baptiste Quelque-
chose. Avec son sourire ravageur et son arro-
gance.

— Larmée. Baptiste Larmée.

— Voilà. Le genre de type dont on se souvient,
j'imagine.

— Je me souviens du nom et du prénom de
presque tous mes élèves. Le problème, c'est
qu'ils se collent à leur visage et à leur silhouette
d'adolescents ; alors, quand je les revois, parfois,
j'ai du mal à les situer parce qu'ils ne se res-
semblent plus. Regardez-vous. Vous n'avez plus
grand-chose en commun avec ce que vous étiez. »

Laudin entame sa mue épidermique et devient
pivoine. J'ajoute « à part votre propension à rou-
gir pour un rien, bien sûr », et cette fois-ci, il se
met à rire et le pourpre s'estompe. Il murmure
qu'il savait qu'il allait passer une bonne soirée.

Je lui demande s'il ne m'a invité que pour égayer son repas solitaire, ce qui ne me dérangerait pas, au fond. Il secoue la tête.

«Cela fait partie du processus de création. Hier, nous avions commencé à parler, et puis, vous vous êtes absorbé dans la contemplation du mur et je vous ai perdu. Je n'ai pas voulu vous déranger. C'était très impressionnant. Vous faites de la méditation?

— Non. J'étais seulement fatigué, je crois. Vous savez, les vieilles personnes comme moi, il leur suffit d'un rien pour décrocher. Mais vous vouliez parler de Baptiste Larmée.

— Un jour, vous l'aviez interrogé parce que vous vous étiez rendu compte qu'il n'écoutait rien de ce que vous racontiez. Dans sa barbe, il a murmuré "fait chier celui-là", vous l'avez entendu et vous vous êtes planté en face de lui en rétorquant que non seulement c'était votre rôle, mais qu'en plus vous étiez payé pour. J'étais très admiratif. Je rêvais de crucifier ce connard.

— Vous êtes encore en colère.

— Oui, étonnant, non? Moi qui prétends que je n'ai aucune considération pour le passé et que c'est l'avenir qui m'attire et me passionne. Moi qui clame haut et fort que je n'ai gardé aucun souvenir de mes années d'adolescence.

— J'ai lu ça, oui. Et aussi que vous étiez trop absorbé par votre monde intérieur à l'époque, ce qui vous coupait des autres. Je vous ai presque cru.

— Les âneries qu'on débite à la presse, parfois. Pour transformer son parcours en épopée. Pour se pavaner. Et pour avoir la paix.

— Vous n'avez jamais pensé à la psychanalyse ?

— Bien sûr que si. Mais je crains son influence sur mon inspiration.

— C'est idiot, vous savez. Je suis sûr qu'en quelques séances vous seriez débarrassé de Baptiste Larmée. Que vous a-t-il fait au juste, d'ailleurs ?

— Oh, rien, bien sûr. Des microhumiliations. Un harcèlement inconscient. Je n'existais pas pour lui et pour sa clique. Ils organisaient des fêtes auxquelles je n'étais jamais invité. Ils en parlaient ouvertement devant moi. J'avais droit à tous les détails. L'avant. L'après.

— Vous n'étiez pas obligé de rester.

— Je sais. Je me disais qu'à un moment ou à un autre ils allaient s'apercevoir de ma présence. Me permettre de rejoindre leur cercle. J'en ai rêvé des nuits entières tout en sachant que cela n'arriverait jamais. »

Alexandre Laudin se tourne vers la famille portables dont le chef vient de donner le signal du départ. Quand il me refait face, les ailes de son nez ne frémissent plus et la vague d'eau qui a failli assombrir son regard a disparu. Voilà tout ce que les enseignants ne perçoivent pas, bien qu'ils soient persuadés de connaître leurs élèves par cœur. Ces rancœurs et ces attachements qui peu à peu modifient nos trajectoires et nous emportent très loin du chemin que nous pensions suivre. Ici, par exemple, dans ce hangar transformé en temple de la cuisine industrielle asiatique, un dimanche soir, en compagnie d'un ancien élève désemparé et tenace. Une étrange association.

Alexandre se racle la gorge et me demande de l'excuser. « C'est ridicule », ajoute-t-il. Il n'y pense plus depuis des années, mais le simple fait de converser avec moi, tranquillement, a fait ressurgir ce qui aurait dû rester enfoui. D'autant que le lycée, ce n'était pas le bagne. Ces petites vexations lui ont certainement forgé le caractère et il ne serait pas devenu celui qu'il est maintenant sans ces embûches. Je réponds que je n'ai jamais cru que les douleurs nous rendaient plus forts. Au contraire. Selon moi, ce sont les mots d'amour que l'on reçoit qui nous raffermissent. Il secoue la tête et murmure que je suis impayable.

« Pour le tableau, Louis… je…

— Vous l'avez déjà commencé ?

— Non. Enfin, j'ai… J'ai multiplié les esquisses. Il y en a une qui me parle, mais je ne sais pas encore où cela me mènera. Quand pouvez-vous revenir ?

— C'est vous la vedette, Alexandre. Vous qui

vous déplacez d'un bout à l'autre de l'Europe. Moi, je reste, vous savez. Je suis une sorte de menhir. Je marque le territoire.

— Je serai plus présent dans les semaines à venir. Je vais délaisser Paris. Pour vous.

— Pour moi ou pour vous ?

— Nous sommes liés, pendant quelque temps.

— Je vous donnerai mon emploi du temps. Je travaille surtout le matin. Mes après-midi sont donc libres. Privilège de l'âge. J'imagine que ça vous arrange.

— Et pour les corrections ou les préparations de cours ?

— Je dormirai moins. Je dors peu, de toute façon.

— Vous... Vous êtes conscient que ces toiles seront exposées ?

— Ah... Il y en aura plus d'une, donc.

— Je crois, oui. Je... Dans mon esprit, c'est une série. Une avec un premier fond jaune. Plutôt pâle. Soufre. Une autre brune. Ou grise. Peut-être une troisième dans les rouges. Mais les couches initiales disparaissent. Et tout cela est appelé à évoluer. Je tâtonne encore. J'imagine que cela doit vous paraître bien confus, et je suis conscient des inconvénients que cela va engendrer.

— Peu importe.

— Je n'en reviens pas.

— Pardon ?

— Du cadeau que vous m'offrez. De la facilité avec laquelle les événements s'enchaînent.

— Il y a quelques années, cela aurait sans doute été compliqué, voire impossible. Bon, nous devrions sans doute nous rendre au buffet maintenant. »

Il y a quelques années, non. Bien sûr que non. Je voyais mon existence comme une course d'obstacles et je me représentais en athlète du quotidien, jonglant avec les obligations de mon métier, l'éducation de mes filles, le souci de préserver mes amitiés et les moments où je pouvais m'adonner à la lecture. Petit à petit, tout cela s'est délité. Me restent de longues plages où je contemple les jaquettes des romans que j'ai achetés et que je n'ouvre plus que rarement. En élargissant mon horizon, ma vie s'est rétrécie. Ce n'est pas un paradoxe. C'est notre lot à tous. Quand les contraintes s'estompent, nous ne savons comment occuper notre liberté nouvelle.

Restent des photophores. Des souvenirs qui dessinent un chemin sur terre. Parfois, l'un de ces replis de la mémoire devient plus lumineux que d'autres. Presque phosphorescent. Un ver luisant dans un cimetière de souvenirs. Depuis que j'ai revu Alexandre Laudin, je m'applique à les amadouer. À admirer leurs miroitements. Et à les attraper.

La semaine a été belle et anormalement chaude pour une fin d'octobre. Les filles et moi, nous sommes allés nous baigner par deux fois, sous l'œil inquiet d'Anne. Elle vient de l'intérieur des terres et n'a jamais eu l'occasion de fréquenter l'océan avant nos premières vacances ici, il y a quelques années. Elle est méfiante devant cet élément qui lui reste étranger. Elle parle des baïnes, des courants, des coefficients de marée et de l'absence de sauveteurs pendant l'arrière-saison. Elle a raison, bien sûr, mais nous ne l'écoutons pas. Nous aimons la force des lames qui nous déséquilibrent et nous plaquent parfois sur le sable. Ces vagues qui, lorsque nous les affrontons, font naître en nous, intrinsèquement liées à l'appréhension, de la fierté et cette incroyable sensation d'être pleinement en vie.

C'est notre dernière soirée dans ce village qui se dépeuple dès que l'été replie ses parasols. Demain, nous rendrons les clés de la location et nous couvrirons les huit cents kilomètres qui séparent notre lieu de villégiature de la ville où nous habitons. Nous n'avons pas allumé la minuscule télévision. Pauline a envie de lire ce roman à succès qui raconte les choix draconiens auxquels on se trouve confronté parfois, lorsqu'on grandit dans un pays en guerre. Anne dresse la liste des tâches qu'il nous faudra effectuer une fois de retour à la maison. Iris s'ennuie. Le vent s'est levé dans l'après-midi et nous a repoussés vers l'intérieur, les couvertures, les canapés. La nuit est tombée brutalement. Il est à peine vingt et une heures, mais la station balnéaire est déserte. Même les enfants qui, par grappes, viennent réclamer des sucreries pour fêter Halloween ont renoncé à leur quête. Je propose une promenade sur le front de mer. Anne fronce les sourcils. Il est question d'une tempête qui s'abattrait sur le littoral à partir du milieu de la nuit, il serait peut-être plus prudent de s'abstenir de s'aventurer dehors. Iris sort de son mutisme. Elle promet que nous ne nous attarderons pas. Juste un petit tour.

Les rues du bourg sont vides. Les pins ploient sous les assauts du vent. Nous marchons, courbés, vers l'océan. Nous avons décidé de suivre le chemin qui surplombe la plage. Nous nous tenons fermement par le bras. Les rafales nous giflent et nous coupent le souffle. Ma fille est aux anges. Je me rappelle une excursion dans les Pyrénées, avec mes parents, quand j'avais huit ans. La brume nous avait surpris alors que nous étions sur une pente escarpée. Les ordres brefs lancés par mon père. S'asseoir. Ne plus bouger. Attendre que le brouillard se déchire et que la visibilité revienne. Prendre son mal en patience. Cela pouvait durer longtemps. Mon cœur qui s'emballait dans la cage thoracique. Cette impression de toucher du doigt l'extraordinaire. Le risque. Le danger.

Iris se serre contre moi. Ses cheveux s'envolent. Une bourrasque lui fait perdre l'équilibre. Elle ne peut se retenir de rire. Un éclat qui part à la verticale et dont les notes fragiles, aspirées par les colonnes d'air, deviennent de minuscules bulles d'orage. Nous luttons pieds ancrés dans le sol, poings fermés dans les poches de nos manteaux, et plus les minutes s'égrènent, plus le rire de ma fille gagne en profondeur. Il part du nombril et court le long de son corps qui l'expulse comme un torrent. L'hilarité me gagne aussi tandis que je m'arc-boute pour ne pas m'envoler. C'est ma terreur et mon désir secret. Cerf-volant. Fétu de paille. S'affranchir du poids. Puis disparaître brutalement, disloqué par les courants.

En contrebas, l'océan est déchaîné. Les nuages roulent dans un ciel d'un gris profond, dont les rares trouées laissent entrevoir les étoiles imperturbables. Nous sommes là, cassés, mais debout. Nous luttons, ma fille et moi, pour notre enracinement. Et nous rions. Oui, nous rions.

En refermant le cahier, j'ai une crampe entre le pouce et l'index. J'effectue quelques mouvements – étirer le dos, rapprocher les omoplates, me forcer à ne respirer qu'avec la cage thoracique –, hésitant à l'appeler. J'effectue un rapide calcul du décalage – d'ailleurs, une partie de moi vit avec l'horaire de la côte est, depuis qu'elle y habite. C'est la fin de l'après-midi pour elle. Elle rentre du travail, envoie valser ses chaussures à l'autre bout de son minuscule appartement, l'un des escarpins rebondit contre le mur et fait voler un éclat de peinture. Elle juré. Elle ne pense pas à moi. Ni à l'océan. Ni au vent. Elle est dans un autre tableau. Si je la contacte avec mes histoires de rire sur la plage, elle va s'énerver, me reprocher d'être toujours en train de retourner mes propres terres au lieu d'aller de l'avant, puis elle va plisser le front, s'inquiéter, tu es sûr que ça va ?

En fait, oui, je suis sûr que ça va. Que ça n'a pas été mieux depuis très longtemps. Elle ne comprendrait pas. Il faudrait parler de Laudin, des cantines asiatiques, de l'alcool de riz qu'on y boit, de nos moqueries, de nos imitations – clients, étudiants, concurrents, collègues –, de nos corps pliés en deux par l'hilarité sur le parking désert, de ce taxi que nous avons appelé parce que nous n'étions plus capables de conduire, de la bouche sèche la nuit, réminiscence de temps anciens, de la tête lourde du lendemain matin et de cet agacement dans les sinus qui pousse à se comporter de manière plus sèche et plus cassante en classe. Du miracle qui en découle : les élèves qui se taisent, surpris et respectueux tout à coup. Mais je ne pourrais pas l'entretenir de tout cela. Elle froncerait les sourcils. Se poserait beaucoup trop de questions. Elle téléphonerait à sa sœur. Puis à sa mère. Elle ferait part de ses soupçons. Avancer, ce n'est pas traîner avec un homme qui pourrait être ton fils. Avancer, c'est rejoindre des associations, fréquenter des presque sexagénaires et comparer les réussites sociales de vos rejetons. Avancer, c'est appliquer des couleurs délavées à l'aquarelle, arrêter de fumer, opter pour la gymnastique douce, boire un verre de vin rouge de bonne facture de temps à autre, soit, et tiens, pourquoi pas rejoindre un club de lecteurs de la médiathèque locale ?

Il arrive un jour où vos enfants ne peuvent plus être vos interlocuteurs privilégiés. Trop d'enjeux.

Trop d'angoisses. De frustrations accumulées. D'amour maladroitement exprimé.

Je renonce à corriger les quelques copies qui traînent sur mon bureau et j'envoie un message à Damien, que j'appelle encore, par commodité, mon meilleur ami alors que nous ne partageons plus rien depuis des années, que nous ne nous invitons plus depuis mon divorce et que nous ne nous voyons que très épisodiquement. La dernière fois, c'était il y a quatre ou cinq mois. Nous avions prévu de nous retrouver au restaurant, mais, comme d'habitude, la proposition est tombée à l'eau : son fils a débarqué à l'improviste, il allait mal, Damien a préféré rester à ses côtés. Depuis, silence radio.

Il me répond presque immédiatement. Il est content d'avoir de mes nouvelles. Il n'osait pas me téléphoner après tous ces rendez-vous manqués. Il avait honte. D'autant qu'il avait découvert entre-temps que son fils, qui lui avait quasiment fait du chantage au suicide, ne poursuivait en réalité qu'un seul but : lui soutirer le maximum d'argent possible. Bref. Et moi ? Je tape une seule phrase sur le clavier : «Au lieu de s'échanger des SMS, on pourrait se voir.» Il appuie sur l'interphone vingt minutes après. Il explique que, ces derniers temps, il marche beaucoup dans la ville. Parfois même, il se retrouve aux lisières de l'agglomération. Arpenter le bitume lui permet de remettre de l'ordre dans ses idées, parce que ça se bouscule là-haut, en ce moment. La soixantaine qui approche, sans doute. Est-ce que j'aimerais l'accompagner ?

Tandis que nous croisons au large de l'hôpital, en direction des quartiers périphériques, pavillons des années 30, jardins ouvriers, écoles en brique, il me confie que, lorsqu'il était plus jeune, il ne pensait jamais atteindre cet âge-là. Maintenant qu'il est devant le fait accompli, il se demande comment il s'y est pris pour vivre aussi longtemps. «Mais la vraie question, tu sais, Louis, la vraie question, c'est: Quand est-ce qu'on s'arrête, qu'on s'assied un peu pour souffler et réfléchir à qui on est vraiment et à ce qu'on souhaite, au fond ? On passe notre temps à esquiver ces interrogations. On se laisse happer par l'espèce de course artificielle qu'on monte nous-mêmes de toutes pièces pour nous donner l'illusion d'appartenir à l'humanité. Bon, je t'embête avec mes élucubrations, non ? Raconte-moi un peu ce que tu deviens ? Tu te fais *quoi* ? Peindre ?

C'est quoi ce délire ? »

« Vous fumez, Louis ? »

Alexandre penche la tête vers la gauche, étire sa nuque puis se masse les poignets. Je remarque une bosse sur les jointures de ses doigts, vestige probable d'un combat nocturne. Je ne pose aucune question.

« J'imagine que nous avons atteint un degré suffisant d'intimité pour nous tutoyer, Alexandre.

— Je ne crois pas que j'y parviendrai. On dirait qu'il y a toujours un bureau entre nous.

— Tu tiens une belle revanche. C'est toi qui tiens les rênes aujourd'hui. Sinon, oui, je fume, au grand dam de mon médecin, qui m'a prévenu que j'allais sûrement décéder avant la fin de la prochaine décennie.

— Je ne vous questionnais pas. C'était une façon polie d'en quémander une.

— J'étais persuadé que tu étais non fumeur.

— C'est le cas. J'ai un peu crapoté quand j'étais étudiant, mais j'ai tout de suite compris que ce n'était pas pour moi. Ce qui me convient, c'est ce qui me permet de respirer, pas ce qui m'en empêche. Ce qui m'ouvre les poumons. Je cours deux fois par semaine. Je vais régulièrement à la piscine. J'ai besoin d'activités sportives pour ne pas m'ankyloser. Le peintre souffre autant que le modèle, dans les séances de pose.

— Alors, je n'encouragerai pas ton vice.

— N'empêche que vous allez m'en filer une.

— Tu fais ton rebelle ?

— Il faut bien que je cadre avec le stéréotype de l'artiste de temps à autre. Venez, nous serons mieux dans ma chambre.

— Pardon ?

— Il y a un balcon qui donne sur un petit parc. Ouvrir la verrière, c'est impossible. J'ai déjà essayé. Je me suis coupé. »

La litanie des surprises que l'existence nous réserve. Je n'avais pas prévu de rester ancré dans cette ville de province. Ni de devenir un des dinosaures de l'établissement où j'enseigne. Ni d'avoir des filles. Ni qu'elles vieillissent. Ni qu'elles s'en aillent. Ni de divorcer. Et encore moins de me retrouver accoudé au balcon de la chambre d'un ancien élève, clope au bec, frissonnant dans cette mi-novembre grise.

« Vous avez jeté un coup d'œil au tableau en passant ?

— Non. Je préfère découvrir le produit fini. C'est pareil pour le travail de mes élèves, si tu te souviens bien. Je ne passe pas dans les rangs pour espionner ce qu'ils écrivent. Je trouve cela indécent.

— Je suis en train de vous tourner autour. Je suis désolé, je ne vois pas comment le formuler autrement. J'ai multiplié les esquisses. J'ai trouvé la position, l'animation du regard, la mobilité des traits, mais je bute encore sur les pigments. Pour tout vous dire, en votre absence, j'ai déjà fini deux petits tableaux, des 20 × 20, et je les ai jetés, il manquait l'essentiel.

— C'est-à-dire ?»

Il hausse les épaules. Il tient sa cigarette entre l'index et le majeur, dans une attitude gauche. Une pose qu'il ne parvient pas à assumer. Il balbutie que, d'une certaine façon, il est question de capturer l'âme, non ? Sauf que « capturer » est un verbe violent car il n'agit que dans la douceur. « Et l'âme, qu'est-ce qu'on en connaît de l'âme, hein ? Voilà un terme qui s'effrite dès qu'on tente de le définir. Les mots manquent, vous voyez, et pourtant les exemples sont nombreux. *La Jeune Fille à la perle*. Les autoportraits de Van Gogh. Les Gainsborough. Le terrible *M. et Mme Clark et Percy* de David Hockney.

— Terrible pourquoi ?

— J'ai passé des heures à le contempler. Il y a ce couple qui ne s'aime plus, qui fixe le peintre et au-delà les spectateurs à venir. Ils ne sont encore qu'au début de leur haine. Ils espèrent pouvoir s'en sortir la tête haute. C'est bouleversant. Vous n'avez jamais vu le tableau ? Il est à la Tate Gallery. Vous n'y allez jamais avec vos élèves ?

— Je n'organise plus de voyages scolaires. Je suis trop vieux. Et quand je le faisais, j'orientais plutôt les élèves vers le British Museum ou Buckingham. La National Gallery aussi. L'art moderne, je pensais qu'il n'entrait pas trop dans leurs préoccupations. J'avais peut-être tort.

— Vous y êtes allés au moins une fois, pourtant.

— Pardon ?

— Quand j'étais en première. La Tate Gallery faisait partie du programme. Je ne me suis pas inscrit, bien sûr. Je n'aurais pas trouvé ma place dans les groupes déjà constitués. J'imaginais le trajet en bus. Dix heures sans personne à mes côtés, tandis que les autres chantaient à tue-tête, au fond. La grimace esquissée par certains à l'idée de partager leur dortoir avec moi.

— Vous exagérez, Alexandre. »

Je m'entends le vouvoyer à nouveau. Tenter de le placer à distance. Je suis troublé par l'incohérence de mes pronoms, lui ne remarque rien. Il continue, le regard perdu dans la contemplation du jardin désert.

« Sans doute. Tout se serait peut-être déroulé sans anicroche. Voire même dans la bonne humeur. Mais je n'aurais pas eu le courage de supporter la moindre humiliation supplémentaire. Je me suis protégé. Je n'ai même pas parlé du séjour à mes parents. D'autant qu'ils auraient probablement accepté. Ils avaient peur de leur fils. De son isolement. Aussi incroyable que cela puisse paraître, ils m'encourageaient à sortir. Bref, pendant que vous étiez partis, une dizaine d'exclus et moi, nous nous sommes retrouvés à hanter des cours fantomatiques. Exercices de révision. Visionnement de films sans intérêt. J'avais récupéré un programme de votre voyage. J'allais au CDI. À la médiathèque aussi. J'ai emprunté des ouvrages sur les monuments de Londres. Sur les musées que vous visitiez. C'est comme ça que je suis tombé sur le tableau de Hockney dont vous ne vous souvenez pas.

— Je ne sais pas quoi dire, Alexandre.

— Alors ne dites rien, Louis. Et laissez-moi vampiriser votre âme. Ce sera ma vengeance et mon hommage. Vous voulez une bière ?

— Vous allez la faire figurer sur le tableau ?

— Je croyais que vous me tutoyiez ? »

L'ironie douce dans son sourire. Le clin d'œil complice. Il murmure que la série de portraits commencée avec celui de ses parents arrive à point nommé. Elle l'oblige à dresser un premier bilan. Ce qui compte. Ce dont il peut se délester. Il murmure qu'il ne sait pas dans quelle mesure je peux le comprendre, mais qu'il sent que, moi aussi, je suis disponible en ce moment.

Vacant, en tout cas. Il y a un abandon dans l'attitude que j'adopte pendant que je pose. Une qualité d'absence rare.

« Comme si vous vagabondiez, et c'est tout ce qui m'intéresse, chez les autres. Le vagabondage. L'esprit qui bat la campagne et hésite à se perdre tout à fait. Surtout quand, comme dans votre cas, ou le mien, le tout se dissimule sous une couche épaisse de normalité et de placidité.

— Parfois, tu me fais froid dans le dos. »

Alexandre écrase sa cigarette sur le métal de la balustrade et, d'une pichenette un brin trop théâtrale, envoie valser le mégot sur l'herbe en contrebas. Il sourit et répond que ça explique probablement pourquoi il n'est pas en couple et ne l'a jamais été qu'épisodiquement. Personne n'a envie d'avoir des sueurs glacées en permanence.

Je marche dans les rues de Londres. La lumière décline alors qu'il est à peine trois heures de l'après-midi. Février s'apprête déjà à passer en nocturne. Dans la doublure de mon blouson de cuir, j'ai mon billet de train et mon passeport. Je les touche à intervalles réguliers. Je voudrais réfléchir. Penser droit. Peser les éventualités et prendre des décisions claires. Je n'y parviens pas. Les pensées gèlent dès qu'elles percent la couche de glace de mon cerveau. La nuit, ma sueur est elle aussi givrée.

Je suis venu passer ici quelques jours, pour tenter de trouver une direction et un sens à l'existence que je mène, et les événements se sont enchaînés si vite que ma confusion est désormais encore plus grande. Je dors au nord de Camden, dans l'appartement de Samuel. Il a quitté la France il y a presque cinq ans maintenant, a multiplié les petits boulots, s'est forgé une expérience et, peu à peu, a trouvé sa voie. Au détour d'une soirée, il a rencontré Peter, trente-trois ans, cadre supérieur dans l'import-export, qui souhaitait réorienter sa carrière et monter sa propre entreprise. *Les années 80 entamaient leur déclin, mais le mur de Berlin tenait encore bon et l'Ennemi était toujours à l'Est.* Peter expliquait à qui voulait l'entendre que c'était le moment ou jamais de devenir entrepreneur. Il avait développé un projet séduisant – une chaîne de restauration rapide offrant des produits de qualité, frais et privilégiant les producteurs nationaux. Sandwiches. Salades. Plats vite réchauffés. Le contre-pied des fast-foods qui saturaient le marché. Les prix seraient plus élevés que ceux de la concurrence, mais rassureraient les consommateurs sur le côté haut de gamme de leur consommation. La clientèle, selon Peter, était toute trouvée. Tous ces jeunes diplômés qui n'avaient plus le temps de déjeuner et qui ne supportaient plus le pain de mie agrémenté de concombre au fromage blanc ni la graisse des hot dogs, des hamburgers ou des fish and chips. L'enthousiasme de Peter était communicatif. Il avait réussi à amadouer les banques et les investisseurs. Samuel n'avait pas non plus résisté à son charme. Très vite, ils étaient devenus partenaires à la fois commerciaux et sexuels. Ils se doutaient que la situation serait compliquée à gérer, mais ils étaient jeunes et le monde leur appartenait. Samuel avait quand même insisté pour garder le studio qu'il occupait avant de rencontrer Peter. *Au cas où. J'y ai temporairement posé mes valises.*

J'ai croisé Samuel pendant les vacances de Noël, en France. Il revenait voir ses parents pour les fêtes. Il traînait dans les rues piétonnes de la ville qui l'avait vu grandir en se demandant comment il avait pu y vivre si longtemps. Nous nous sommes salués. Samuel et moi, nous sommes amis d'enfance. Nos parents étaient voisins quand nous étions en primaire et nous partions à l'école ensemble. Nous étions assis côte à côte du CP au CM2. Nous avions alors une connaissance intime l'un de l'autre. Nos passions (les bandes dessinées et les figurines de joueurs de football pour lui, les planètes et le hit-parade de RTL pour moi), nos angoisses (se retrouver nu dans la cour pour lui, perdre tous les membres de ma famille d'un coup pour moi), nos moments de doute, nos maux de ventre, de tête, d'âme. Les jours de congé, nous allions au terrain vague derrière l'immeuble en briques rouges. Nous retrouvions une bande de garçons et de filles qui habitaient le quartier. Nous tentions de construire des cabanes. Nous racontions des mensonges. Nous nous vantions. Les parents de Samuel ont déménagé à quelques kilomètres et l'ont inscrit dans un collège différent du mien. À cet âge, cela suffit pour rompre tous les ponts fragiles que l'on a bâtis. Nous nous étions entraperçus au lycée, mais l'établissement était immense, nous ne suivions plus la même filière, et nous n'avions plus rien à nous dire. Je ne sais pas ce qui m'a poussé vers lui, en cette fin décembre. Ou plutôt si. Ce que j'avais entendu de lui, par un ami commun, un soir de bar. J'admirais son parcours. Le mien était bien plus discret. J'enseignais l'anglais, au milieu de professeurs qui parfois avaient été les miens quand j'étais élève. J'aurais dû être satisfait, mais je traversais une période un peu *difficile. À vingt-huit ans, j'étais toujours célibataire alors que toutes mes connaissances commençaient à s'unir et à se multiplier.*

D'ailleurs, ai-je confié à Samuel ce jour-là, j'ai décidé de partir à Londres seul, cette fois, aux vacances de février. Histoire de faire le point. De prendre du recul, comme on dit. J'ai étouffé un ricanement qui en disait long sur mon embarras. Samuel m'a tout de suite proposé de disposer de son appartement, puisqu'il n'y logeait plus que très rarement. Il m'a aussi invité à rencontrer ses amis. À l'accompagner à des soirées. À m'immerger dans son existence, puisque je la trouvais beaucoup plus reluisante que la mienne. Il est rare que quelqu'un vous ouvre spontanément les portes d'une vie différente. Je m'y suis engouffré, pendant presque deux semaines.

Dans la cuisine d'un loft près de Swiss Cottage, j'ai partagé un soir le joint de Jane, qui venait de prendre la tête d'un groupe de magasins spécialisés dans les fripes et la revente de vêtements usagés, près de Camden. Le marché semblait porteur. Elle cherchait un associé. Est-ce que j'étais tenté ? J'ai éclaté de rire. J'ai répondu que je n'avais aucune expérience dans le domaine. Elle a haussé les épaules et rétorqué que j'étais français, que la ville dont je venais était connue pour ses magasins d'usine, que je semblais avoir la tête bien faite, pas trop envahie par les stratégies marketing tout en étant sensible aux innovations et que je me débrouillais bien en anglais. C'était suffisant. Le reste, je l'apprendrais sur le tas. Elle a ajouté qu'elle était défoncée, mais sérieuse. Pour tout dire, elle avait un candidat idéal pour le poste, mais il lui avait déjà planté un couteau dans le dos par le passé, et elle préférait l'envoyer paître. La pilule passerait mieux s'il apprenait qu'il était supplanté par un Français inconnu de leur cercle. J'ai souri. Je lui ai donné le numéro auquel elle pouvait me joindre, à l'appartement de Samuel, elle l'avait déjà, bien sûr. J'ai ajouté que j'attendrais son appel avant de réfléchir sérieusement à son offre. Elle a téléphoné le lendemain soir. Elle désirait me voir. Je l'avais séduite. Et l'exemple de Peter et Samuel prouvait que l'alliance franco-britannique avait de beaux jours sexuels et professionnels devant elle. Nous étions dimanche 21 février. Il me restait une semaine de vacances.

Nous nous sommes retrouvés. Nous nous sommes écoutés. Respirés. Déshabillés. Depuis, je marche dans les rues de la ville. J'essaie d'amadouer la capitale. Ce qui m'étonne le plus, c'est que je parviens sans mal à m'imaginer vivre ici. Toutes ces rues que j'arpente deviendront bientôt le décor dans lequel j'évoluerai. J'écris en pensée la lettre que j'enverrai au rectorat. Je répète la phrase : « Ayant trouvé un emploi mieux rémunéré dans le pays dont j'enseigne la langue, j'ai l'honneur de vous présenter ma démission. » C'est mon mantra. Ma formule magique pour une existence inattendue. Bien sûr, mes amis me manqueront mais, avec les années, nos liens se sont distendus, d'autant qu'ils voguent tous maintenant vers les eaux plus tranquilles d'une vie familiale désirée. Je ne suis pas sûr d'avoir envie de les suivre.

Je me retrouve près de Chinatown sans l'avoir cherché. Je me souviens d'un roman que j'ai lu au tout début des années 80. Il s'intitulait Soho, à la dérive. La couverture de l'édition de poche montrait un jeune homme brun, l'air déterminé, passant à côté d'une librairie anglaise. Un presque vagabond. Un presque moi. Je voudrais arrêter le flot de pensées et de sentiments contradictoires qui m'assaillent. J'espère qu'un jour je repenserai à cette période en souriant. Une anecdote dans mon parcours. Un tournant décisif. Ou une anicroche. J'ai hâte.

Le dimanche suivant, je rentrerai en France pour préparer mon départ définitif pour Londres. Une semaine plus tard, débarrassé de toutes mes inhibitions et de cette maladresse qui me caractérise, j'aborderai Anne lors d'une soirée donnée en l'honneur de mon proche exil. Tout sera remis en cause. Je n'aurai plus jamais de nouvelles de Jane. Sans le savoir, elle donnera son deuxième prénom à ma fille cadette. Et en pointillé, de l'autre côté de la Manche, la vie que j'aurais pu mener continuera son chemin. Je mourrai hanté.

Fin novembre. Nous sommes côte à côte, de nouveau. Nous ne parlons pas. J'entends sa respiration profonde, et la mienne, plus saccadée. Nos regards convergent vers la toile.

D'abord il y a le vert-de-gris. Cette teinte que j'ai toujours assimilée à la Seconde Guerre mondiale, aux récits de l'exode que me faisait mon père qui, à dix ans, a dû traverser une partie de la France pour rejoindre une zone plus en sûreté que cette plaine lorraine où il habitait. Avec le passage des avions. La peur. La faim.

Ensuite, ce rouge vermillon qui vient rehausser les arêtes du nez et le bombement du front. Je suis un guerrier fatigué. Je me suis posé sur cette chaise alors que je devrais être accroupi, les fesses sur les talons, à l'affût. Seulement mon corps s'affaisse et je ne suis plus aussi alerte que par le passé. Alors, ce fauteuil traînait dans ma brousse. J'ai hésité avant de m'y installer. Je craignais le piège. En face de moi, il y avait cet autre chasseur. Beaucoup plus subtil. Un guérisseur, sans doute. Il m'a fait signe de m'asseoir. Maintenant, c'est son étrange charme qui agit. Je ne suis pas sûr de vouloir me relever.

Le mauve – incongru, le long des mâchoires et des mandibules. Une touche presque féminine que vient contredire le jaune orangé des pupilles. Un rappel de la première couche. De la genèse. Je suis un monstre. Un héros. J'ai la tête qui tourne. Alexandre se racle la gorge.

« Je... Je crois que j'ai fini. »

Je hoche la tête. Nous restons immobiles. Nous savons tous les deux que nous n'avons pas envie de nous quitter. Nous cherchons des formules incantatoires. Nous ne les trouvons pas.

« J'ai pensé que... Enfin, je l'avais déjà évoqué mais... c'est comme pour mes parents... Je n'envisage pas ce tableau seul. »

J'acquiesce. Je demande combien. Alexandre rougit brutalement et se met en mouvement. Marche le long du bar. S'arrête pour préparer un café. Éructe une réponse. « Trois. » Ajoute qu'avant de savoir si je donne mon accord ou pas, il faut que je lui parle. Du portrait. De mes impressions. C'est difficile, bien sûr. Mais c'est important pour lui, c'est central, c'est décisif, parce qu'il peut très bien tout barbouiller de noir, ou tout brûler, aucun problème, ce ne serait pas la première fois, il faut des tentatives, des ratages, c'est comme ça qu'on trouve ce qu'on cherche.

« Je ne me devinais pas si sauvage, Alexandre. »

Il secoue la tête. Il ajoute qu'il l'avait remarqué d'emblée, le soir du vernissage. Il était en train de discuter avec des amis-collègues-concurrents, parfois on ne fait plus la différence, et j'étais entré dans la grande salle en fronçant les sourcils, avec un demi-sourire presque carnassier. Il avait suivi de loin mes déambulations dans les pièces. Il s'était surpris à entendre son cœur battre plus fort quand j'arborais une moue appréciative et à ressentir les picotements de l'humiliation quand je restais de marbre devant certains tableaux. Il s'était rendu compte que j'étais une des seules personnes – avec ses parents sans doute – en dehors du monde de l'art, dont l'avis lui importait. Il aurait aimé que ce ne soit pas le cas. Il aurait voulu être affranchi de l'appréciation de ceux qui l'avaient mis au monde et de ceux qui avaient compté pour lui. Il se souvenait de moi comme de quelqu'un dont la bienveillance ironique le stupéfiait, dont la modulation de la voix apaisait les tensions – mais il découvrait ce soir-là un côté cru qui le déstabilisait et le ferrait. Oui, c'est ça, le ferrait, comme un poisson pris à l'hameçon.

« Je crois qu'avec les années tu t'es bâti un portrait idéalisé de ce que je suis, Alexandre. Cela arrive parfois avec les gens qu'on côtoie mais qu'on ne connaît pas réellement. La confrontation avec la réalité est souvent décevante. Et libératrice. Je n'aime pas qu'on me mette sur un piédestal. J'y suis mal à l'aise. Je ne veux que me fondre dans la masse. L'inverse de toi, non ? Je suis touché par tout ce que tu dis, mais je ne mérite pas ces éloges. Tu t'es construit ta propre fiction.

— Je sais. C'est à elle que je me confronte en vous peignant.

— Cela va sans doute être douloureux à entendre, mais pour être franc, je n'ai jamais ne serait-ce qu'entraperçu l'importance que je pouvais avoir à tes yeux. Tant mieux d'ailleurs, parce que j'aurais certainement paniqué et fait marche arrière. J'aurais retrouvé de la distance. Ce bout de banquise mental qui devrait toujours séparer l'élève du professeur. Parce que nous ne sommes pas là pour être aimés. Nous sommes là pour apporter, partager et guider. C'est très différent.

— Vous étiez mon rayon de soleil, Louis. »

Je voudrais répondre, écarter d'une pirouette l'intimité passée qui se dévoile, mais je ne trouve pas les mots adéquats. Je suis désarmé. Alexandre a tourné la tête. Il fixe de nouveau le portrait. Il parle à cette image de moi qui l'observe en retour. Il soupire. Il raconte qu'il venait au lycée la mort dans l'âme. Une nouvelle journée à disparaître. Un corps parmi les autres corps. Bousculé souvent. Pas par agressivité. Juste parce qu'il n'existait pas vraiment. Et au retour à la maison, le silence réprobateur de ses parents qui, depuis l'arrivée de la puberté, le considéraient avec suspicion. Quelque chose clochait. Il n'est pas ce fils qu'on nous a tant vanté. Il est étrange. Il nous déçoit. Il passe son temps à nous décevoir. Alors, quand il s'installait dans ma classe, pendant quelques minutes, parfois pendant l'heure entière, il était ailleurs. La langue qu'on y parlait. Les rires qui fusaient. Une gentillesse. « Même Larmée la ramenait moins depuis que vous l'aviez mouché, Louis. C'était ma parenthèse. Trois heures par semaine. Parfois, cela suffisait pour tenir. » Son combat, c'était de rester. Il cochait sur son agenda le nombre de semaines qu'il avait tenues. Il était fier de lui. Personne ne devinait à quel point il était héroïque.

« Voilà ce que j'essaie de rendre, Louis. L'étincelle. »

Son rire sonne faux. Il serre les poings et effleure la bosse sur sa main gauche. Sur son visage, le passage, bref et intense, de la douleur. Ses mâchoires se contractent. Il plisse les lèvres. Serre les dents. Se détend imperceptiblement. Le plus dur est derrière lui. Je botte en touche.

« Trois tableaux donc.

— Un triptyque, oui.

— Des variations pour le deuxième ?

— Je voudrais approfondir. Je… »

Sa phrase reste en suspens quelques secondes.

Et de nouveau cette rougeur qui vient de la poitrine mais reste bloquée au niveau du cou.

« Est-ce que tu… enfin, j'aimerais que vous posiez torse nu. »

Les mots volent entre nous. Des feuilles mortes venant s'échouer au sol. « Genre Lucian Freud ? » Il baisse la tête. Il murmure qu'il n'irait pas jusqu'à se comparer à lui, bien sûr, mais qu'il cherche à peindre dans cet esprit-là, maintenant. La crudité et la bienveillance réunies. Une gageure. Il ajoute qu'évidemment il comprendrait très bien que je le prenne pour un malade et que je cesse notre coopération. Il en serait dévasté mais il ne veut rien m'imposer, d'ailleurs, il n'en a pas le pouvoir, c'est idiot, cette conversation, en me parlant il se rend compte que c'est ridicule, non, vraiment, cette idée ne tient pas debout, « oubliez ça, Louis, vraiment, oubliez ça ».

Je déboutonne ma chemise. Méticuleusement. Je connais mon corps par cœur. Je n'en suis pas particulièrement fier. J'ai le poil fourni et presque uniformément blanc. Des muscles abdominaux que je n'ai pas assez entretenus. Une proéminence ventrale qui déforme la silhouette. Une peau qui s'est endurcie par endroits et paraît presque enfantine à d'autres. Qui porte encore les traces de nombreuses interventions chirurgicales. Peu avant le divorce, j'ai enchaîné les infections dermatologiques, furoncles géants, anthrax – je pourrissais de l'intérieur. Restent les dédicaces épidermiques d'une époque révolue. Je suis un piètre gladiateur.

Ma chemise bleu et blanc gît à mes pieds. Je me cale dans le fauteuil vert qu'Alexandre a remonté du salon. Je relève la tête et sens l'insolence dans mes yeux quand j'accroche ceux d'Alexandre. Il s'est immobilisé. À l'affût. Son regard embrasse l'ensemble, puis entre dans le détail, le grain de l'épiderme, le poli de la surface, le sourire crispé des cicatrices. Sa respiration se fait plus longue et plus sonore.

« C'est bien. »

Les deux mots qu'il prononce claquent dans l'air de l'appartement. Une minute supplémentaire et il se détache. Toute sa silhouette s'adoucit et s'affaisse. Il retrouve ses hésitations et ses failles. Il me demande si j'ai froid. Si je veux qu'il monte le chauffage. Je hausse les épaules. Je suis à demi nu sous une verrière. Je n'arrive pas à comprendre si je suis au centre d'un rêve ou d'un cauchemar. Il prend son carnet et ses fusains. Il dit que nous pourrons faire une pause dans une heure, une heure et demie. Il ne me demande pas mon accord.

TERRE D'OMBRE

« Je suis venue voir si tu allais bien. »

Anne enlève son écharpe et se passe une main dans les cheveux. Depuis l'aurore, du grésil tombe par intermittence. Novembre s'effiloche à petits pas glacés. Je calcule depuis combien de temps je n'ai pas vu mon ex-femme. Trois mois, je crois. La dernière fois, elle partait à la piscine. Je l'avais trouvée radieuse. Elle est davantage chiffonnée ce matin, mais elle n'en reste pas moins magnifique. Je peux l'avouer sans détour ni flatterie déplacée, parce que, malgré ce que croient certains de mes collègues, je pense que j'ai bel et bien fait le deuil de notre relation. Nous nous sommes quittés en bons termes, au grand dam de nos filles, qui auraient souhaité des cris, des vociférations et des larmes. Nous n'en étions plus là. Nous avions épuisé notre désir en élevant les enfants et nous en étions à rogner la tendresse que nous nous portions. Nous avons préféré rompre avant de ressentir de la haine, ou du mépris. Nous nous en savons

107

gré. Après son départ, je n'ai eu aucune relation sexuelle pendant presque deux ans, et, lorsque l'occasion s'est présentée, j'ai probablement été un amant décevant. Il est sûr, en tout cas, que je n'imagine pas tomber amoureux à nouveau, tant l'adjectif même me paraît désuet et inadéquat. J'évolue dans une sorte d'ataraxie ponctuée de relations épisodiques. Je vis seul. Je n'en tire aucune fierté, mais je dois bien avouer que c'est bien plus supportable que je ne l'aurais cru. Anne, elle, a refait sa vie avec Gauthier, même si elle déteste cette expression. Il m'est arrivé de les inviter à prendre l'apéritif, le dimanche soir, après le départ des filles vers leurs études respectives. Elle ne le reconnaîtrait sous aucun prétexte, mais elle le dévore des yeux et, malgré le léger désagrément provoqué par un reste de jalousie inopportune, j'en suis heureux. C'est un homme calme, prévenant, et plein d'humour.

« C'est gentil de ta part. Je suis désolé de n'avoir pas répondu à ton dernier message.

— Tu me prépares un café ?

— Je te préviens, cela va durer un moment. Je n'ai pas détartré la cafetière depuis des lustres.

— Tu es toujours anticapsules ?

— Tu me connais.

— Eh bien, justement, je me le demande.

— Pardon ?

— Écoute, je ne vais pas y aller par quatre chemins. J'entends des rumeurs, Louis.

108

— Diantre! Me concernant?

— Arrête, s'il te plaît. On t'a croisé plusieurs fois avec Alexandre Laudin.

— J'aimerais vraiment connaître l'identité de ce *on*. »

Elle fait un geste agacé de la main.

«Plusieurs personnes. C'est une petite ville. Tu le sais aussi bien que moi.

— Disons que je suis étonné que tu prêtes la moindre attention à ces ragots. Et aussi qu'on vienne te rapporter mes faits et gestes alors que nous sommes séparés depuis longtemps.

— Tu restes le père de mes enfants. J'imagine que cela a son importance. Mais ce n'est pas le sujet.

— Le sujet c'est : mon ex-mari se tape-t-il un petit jeune? »

Elle lève une main, s'apprête à répliquer, abandonne, soupire et puis esquisse un sourire. Elle demande si elle peut s'asseoir. Elle aimerait bien boire ce café que je lui ai promis, aussi. Elle est fatiguée et trouve que je manque à toutes mes obligations de maître de maison. Je bafouille. Anne a toujours été douée pour provoquer chez moi des balbutiements et des bégaiements. Au début de notre relation, j'avais du mal à commencer mes phrases. Je me répétais qu'elle était beaucoup trop bien pour moi et que je n'avais aucune chance. Je n'ai pas changé d'avis, au fond. Je pense qu'elle a gâché une partie de sa vie en restant avec moi. Un de ces désastres discrets, dont tout le monde croit qu'ils sont l'image même de la plénitude, et dont seul le principal intéressé peut comprendre l'ampleur. Elle aurait eu besoin de quelqu'un qui la magnifie. Qui la déifie. Qui l'élève. Je n'avais pas cette trempe. En tout cas, je suis toujours heureux de la voir. Et nos filles sont la preuve que, bon an mal an, nous avons tout de même réussi à parachever certains projets.

La machine crachote un liquide brun-noir qu'Anne contemple avec un léger dégoût. Elle dit qu'elle n'aurait pas dû venir. Qu'elle le savait. Qu'elle est ridicule. Que j'ai raison, bien sûr. Que nous sommes libres de faire ce que bon nous semble, l'un comme l'autre. Elle explique qu'elle se faisait du souci, c'est tout. C'est à mon tour de sourire.

« Nos filles s'inquiètent parce que je ne sors pas assez, et toi, tu t'angoisses parce que je retrouve une vie sociale.

— Non. Non, non. Je suis très contente que tu voies à nouveau du monde. D'ailleurs, tu viens dîner chez nous quand tu veux. C'est juste… Alexandre Laudin, quoi ! Je ne comprends pas ce que tu peux avoir en commun avec lui.

— D'abord, c'est un ancien élève.

— Oui, je m'en souviens.

— Pardon ? Ce serait étonnant, parce que moi,

je n'ai presque aucun souvenir de sa présence dans mes cours.

— Je t'expliquerai. Qu'est-ce que tu fabriques avec lui ?

— Tu veux savoir si je couche ? Tu serais jalouse ? »

Le regard qu'elle me décoche se veut plein de mépris mais il ne réussit qu'à exprimer la tendresse qu'elle a encore pour moi. J'en suis touché plus que je ne pensais. Et sans doute plus que je ne le devrais.

« Il est peintre, Anne.

— Merci, je suis au courant.

— Alors, il fait mon portrait. »

Les mots s'élèvent dans la cuisine, puis redescendent doucement dans le silence, flocons de neige qui fondent sur la table, laissant une trace d'humidité entre nous. Le bruit d'un klaxon dans la rue, un peu plus loin. Une bordée d'injures. Le crissement des pneus. Quelqu'un a failli avoir un accident. Anne secoue doucement la tête, murmure que c'est pire que ce qu'elle croyait. Ajoute que, maintenant, je suis devenu une égérie. Et tout à coup, son rire, profond. Sans aucune trace d'amertume, ni d'ironie. Elle s'excuse, elle dit qu'elle ne sait pas ce qui lui prend, c'est tellement idiot, non, pas idiot, inattendu, non pas si inattendu que ça, quand on y réfléchit bien. Elle voudrait savoir si j'avais senti des prédispositions chez lui. Un artiste en devenir. Je hausse les épaules. Je réponds qu'en fait je ne me le rappelais pas vraiment, en tant qu'élève. Il dessinait, oui, mais tout le monde dessine à cet âge-là, non ? J'avais suivi comme tout le monde sa carrière dans la presse, mais je dois avouer que l'ampleur qu'elle prenait m'avait surpris. Il ne faisait pas partie de ces gamins qui sortent du lot et dont on se remémore les faits et gestes, des années après.

« L'inverse n'était pas vrai.

— Trente-cinq élèves par classe et un seul professeur. Évidemment, ils se souviennent de nous et ils se vexent parfois parce que leur nom ne nous évoque rien.

— Il était passé à la maison.

— Pardon ?

— Je revois encore sa tête. Il te cherchait. Il était nerveux. Il voulait te rendre un devoir. Facultatif, apparemment. Il s'embrouillait dans ses explications. Pauline était descendue voir ce qui se tramait en bas. Sa présence a encore ajouté au trouble de Laudin. J'ai pensé qu'il était amoureux d'elle. C'était un mercredi. Tu venais d'accompagner Iris à son cours de théâtre.

— Tu ne m'en as jamais parlé. »

Elle sourit. Elle explique qu'il lui avait fait promettre de ne pas me mettre au courant. Il avait honte de sa démarche. Il savait pertinemment qu'il n'avait pas le droit d'aller voir un enseignant pendant ses jours de congé. Il s'en voulait terriblement. Il te confierait le devoir le lendemain. Il était désolé. Désolé. Désolé. « Il avait l'air tellement paniqué que j'ai eu pitié. J'ai accepté de passer sa visite sous silence. Je pensais te demander plus tard comment l'affaire s'était conclue et puis j'ai oublié. C'est drôle. J'ai repensé à cet épisode il y a quelques années, quand j'ai vu pour la première fois son portrait dans le journal, mais, alors, nous avions tellement d'autres chats à fouetter. » Elle s'interrompt quelques secondes. Bredouille qu'elle espère que. S'arrête. Non, rien. Je lui touche la main. Lui assure qu'elle peut me parler franchement maintenant que nous avons pris des chemins différents.

« Je suis la mère de tes enfants, tout de même.

— Elles sont grandes. Parties. Loin. »

Elle esquisse une moue. Se triture l'auriculaire de la main droite. Un geste qu'elle a toujours eu.

« Tu ne fais rien de… enfin… de répréhensible ? Ou qui pourrait nuire à la réputation des filles ? Non, ne réponds pas. Je m'écoute parler et je ne crois même pas ce que je m'entends raconter. Je suis lamentable.

— Tu ne l'as jamais été. Écoute, il s'agit de peinture, Anne. Pas de cinéma X. D'ailleurs, je ne suis pas nu. Et puis, qui cela va-t-il intéresser, hein, honnêtement ? Je ne crois même pas que les toiles soient exposées un jour. C'est un projet très personnel, d'après ce que j'ai compris. Il a déjà exécuté un tableau de ses parents, mais personne n'a le droit de le voir. »

Je revois ma chemise sur le parquet. J'entends Alexandre murmurer : « Oui. C'est bien. » Je suis dans le demi-mensonge. Je ne me dévoile qu'en partie à celle qui fut ma moitié. Cette pensée me fait sourire. Anne s'en offusque. Elle pense que je me moque d'elle. J'esquive le sujet. C'est simple. Il suffit d'évoquer Iris. Le Canada. La distance. Nous sommes vite de retour sur les autoroutes de la conversation entre parents divorcés. Nous avons quitté les étangs troubles de l'intimité. Avant de partir elle y revient pourtant, du bout des doigts. Elle déclare qu'elle a été très contente de me revoir, que nous avions laissé passer trop de temps, qu'il faudrait caler une date pour un dîner, avec Gauthier. Toutes ces phrases qu'on se sent obligé de prononcer afin de donner un peu d'éclat aux adieux. Nous sommes tous les deux dans l'embrasure de la porte d'entrée. Elle va bientôt être happée par l'obscurité. Elle pose sa main sur ma joue. J'en embrasse la paume. Je m'aperçois en revenant dans la cuisine que nous n'avons même pas bu le café. Les tasses, les cuillères et le paquet de sucre sont là, inutiles. Ils formeraient une magnifique nature morte.

Elle enclenche la clé de contact. Le vrombissement du moteur. Elle ne quitte pas la place de stationnement tout de suite. Elle jette un coup d'œil au décor, tourne la tête, m'adresse un dernier signe de la main en souriant. Ce qui passe dans notre regard – un album compressé du quart de siècle qui vient de s'écouler. Elle a un imperceptible mouvement des épaules, comme si elle relevait un châle s'apprêtant à tomber, puis elle desserre le frein à main et s'engage sur la voie. En une poignée de secondes, elle est déjà loin. Je reste les bras ballants, immobile, sur le trottoir. Je la suis du regard. Jusqu'au croisement avec la rue de la Visitation. Je plisse les yeux. Jusqu'à l'avenue du Général-Leclerc. Pourtant, je m'étais juré de ne jamais me conduire de la sorte. On dirait un mendiant. Un moineau sur les balcons, les jours d'hiver, réclamant sa pitance. Je me déteste ; mais c'est plus fort que moi.

Sa voiture est bloquée au feu rouge, en haut de notre rue. De ma rue, en fait. Je l'imagine, nerveuse,

le pied sur l'accélérateur. Léger froncement des sour-
cils. Elle essaie d'éviter le rétroviseur. Elle n'y par-
vient pas. Elle aperçoit ma silhouette minuscule. Elle
peste à voix basse tandis que les larmes viennent
humecter ses cils. Elle marmonne qu'elle n'y peut rien,
non ? C'est la vie. Les parents vieillissent, les enfants
continuent leur route, tout est en ordre. Elle entend la
chanson de Jeanne Moreau que sa mère lui fredonnait
pour l'endormir. Les bagues à chaque doigt. Les bra-
celets au poignet. Elle serre les dents. Se reprend. Elle
sait que, si elle continue, elle va être submergée, et que
cela ne sert à rien. Elle trouve que le feu est long. Elle
s'impatiente. Elle voudrait que je disparaisse, mainte-
nant.

Elle se concentre sur l'après. Les deux cents kilo-
mètres d'autoroute qu'elle engloutira en une heure et
demie. La fin d'après-midi à écouter les radios péri-
phériques et les flashs d'Info Trafic. Le cafard du
dimanche soir qu'elle s'efforcera de chasser en tournant
le bouton du volume à fond. Ensuite, il y aura Cyril
– qui reviendra lui aussi d'un week-end en famille. De
temps à autre, ils se partagent ainsi. Ils savent que les
parents sont parfois contents de revoir leurs enfants
non accompagnés. Comme avant. Ils échangeront
leurs impressions autour du sempiternel cake au citron
que la mère de Cyril aura concocté. Ils rempliront le
congélateur de tous les plats qu'elle aura préparés pour
eux. Ils secoueront la tête en murmurant « n'importe
quoi » mais ils seront contents quand même. Ils souri-

ront. Cyril demandera : « Et toi ? Ta mère ? Et ton père, ça va ? »

Plus tard dans la soirée, elle effectuera un rapide calcul mental auquel elle s'est habituée désormais, puis se connectera sur la Toile et, prise dans les mailles du filet, joindra sa sœur cadette. Elle lui racontera par le menu le week-end, en exagérant les côtés ennuyeux de la province de fin de semaine, la sempiternelle pizzeria du samedi soir, la promenade institutionnelle le long des Viennes, le dimanche matin. Iris rira de bon cœur. Elle dira à sa sœur qu'elle a vraiment beaucoup de courage de s'imposer tout cela. Pauline haussera les épaules. Un nuage passera devant la fenêtre. Des souvenirs de cavalcades dans les escaliers, de parties de cache-cache, de dessins à moitié terminés, de gâteaux au chocolat un après-midi pluvieux. C'est loin tout ça, maintenant. Iris ramènera sa sœur à la réalité. Elle demandera de mes nouvelles. Pauline répondra que je vais plutôt mieux, vraiment. Elle ajoutera qu'elle ne s'inquiétera pas tant que je serai encore en activité, surtout celle-là, le contact avec les adolescents, tous les jours, bien sûr, c'est épuisant, mais en même temps, cela permet de rester alerte et en prise avec le monde, non ? Iris demandera si j'ai évoqué leur mère. Elle rêve encore de contes d'enfants où, après bien des épreuves, le prince et la princesse se retrouvent et, même s'ils sont désormais bien trop âgés pour avoir de nouveaux rejetons, vivent quand même heureux ensemble et s'occupent de leurs petits-enfants. Pauline rétorquera que non, pas une seule fois, mais

qu'elle trouve au fond que c'est plutôt positif, ça signi-
fie que je ne reste pas bloqué sur cette époque révolue,
« ce qu'il faudrait maintenant, c'est qu'il retrouve
quelqu'un, tu ne trouves pas, Iris ? Quand je vois
maman avec Gauthier ».

Une demi-pause. Deux soupirs. Un de chaque côté
de l'écran. Elles ne seront totalement rassurées que
lorsqu'elles me sauront à nouveau accompagné. Quel-
qu'un à mes côtés, pour m'écouter ronchonner en sou-
riant. Pour vérifier que je m'alimente correctement.
Mentalement, mes filles me donnent deux décennies de
plus que mon âge réel.

Une demi-pause. Le feu passe au vert. Deux sou-
pirs. L'un dans l'habitacle de la voiture et l'autre, le
mien, quand elle tourne sur l'avenue du Général-
Leclerc et que je la perds du regard. Je reste, inutile,
sur le trottoir. Je ne me résous pas à rentrer. Je me dis
que, tant que je suis là, une partie d'elle est encore près
de moi. Et avec elle, les fantômes de sa sœur, de sa
mère et de la famille que nous avons formée, à un
moment donné. C'est dimanche soir. Nous sommes
des milliers ainsi, adultes vieillissants, immobiles
devant des portes d'immeubles ou des portails de mai-
sons, à tenter de reconstruire un après alors que les
taupes du présent creusent des galeries dans notre
mémoire.

Une semaine passe. Puis deux. Alexandre m'avait prévenu qu'il devait se déplacer et rencontrer des galeristes à Amsterdam. Il en aurait pour trois ou quatre jours. Au retour, il me ferait signe pour que nous reprenions les séances de scalpel pictural. Je commence à m'inquiéter. Je laisse un message sur son téléphone fixe. Sur son portable. Je me déteste d'agir de la sorte. J'ai l'impression d'être une maîtresse éconduite qui mendie de l'attention. Je me voudrais plus détaché. Presque aérien. Je ne veux plus rien avoir à faire avec la dépendance sentimentale – qu'elle soit amicale ou amoureuse. L'âge qui avance, normalement, permet cette mise à distance.

Le métier me sauve, comme toujours. Je travaille sur de nouveaux documents. Je resserre mes préparations pour aller à l'essentiel. En cours, mon attitude change aussi. Je retrouve cet idéal de souplesse et de fermeté vers lequel nous tendons tous. Les élèves sont surpris. Ils relèvent la tête. Plissent les yeux. Se redressent. Ils murmurent aussi, dans les couloirs. On ne sait pas ce qui lui prend. Il est bizarre. Mieux ? Aucune idée. Différent en tout cas. C'est comme s'il avait décidé de reprendre les rênes.

Pendant que je suis au lycée, Alexandre Laudin et le premier portrait s'effacent, ne laissant derrière eux qu'une impression désagréable. C'est un sentiment familier. Après le divorce, j'ai eu une brève période d'intense activité professionnelle. Je me suis jeté dans le travail. Mes collègues me reprochaient mon stakhanovisme. Je ne tiendrais pas à ce rythme-là, disaient-ils. Ils avaient raison. Aux premières vacances, tout s'est délité. J'ai glissé lentement le long d'une pente de glaise, vers le fond d'un puits où je me suis senti protégé, parce que je n'étais plus obligé d'observer la course du monde. Les sensations ont fini par me quitter. J'étais tranquille dans cet environnement certes peu ragoûtant, mais qui avait le mérite de me rassurer.

Dix fois, vingt fois, je prends mon téléphone portable et je m'apprête à envoyer des messages doucereux ou assassins. Je me souviens de mon adolescence. Quand j'avais seize ou dix-sept ans, je ne pouvais pas vivre sans mes amis. Je les côtoyais toute la journée et ils me manquaient dès que je les quittais. Je passais la soirée dans la cabine téléphonique en face de chez mes parents.

J'avais mis au point un système pour ne pas payer les conversations. Une pièce de cinq francs que j'avais attachée à un fil sur lequel je tirais au moment du déclic. J'en sortais rouge et la gorge sèche. Ma mère s'inquiétait pour ma santé mentale. Elle disait que ce n'était pas sain d'être à ce point dépendant d'un cercle de connaissances. «Sa route, Louis, on la trace seul, qu'on le veuille ou non. Les autres peuvent t'aider ou agrémenter ton existence, mais ce ne sont pas eux qui trouveront ton chemin.» Je ne voulais pas la croire. J'ai commencé à douter quand la trentaine a sonné. J'ai avalé toutes les couleuvres et toutes les trahisons amicales sans broncher. Je me suis recentré sur ma famille – ma femme, mes filles. Puis elles sont parties, elles aussi. J'ai abdiqué. J'étais sur le point de donner raison à ma mère – je m'enfonçais dans les ornières que j'avais moi-même tracées. Jusqu'à l'exposition. Devant les foules d'Alexandre Laudin, devant ces visages criards et angoissés, une partie de moi s'est rebellée. Je crois fondamentalement aux autres. Au bien qu'ils nous font malgré tous leurs travers. Aux couleurs qu'ils nous donnent. Aux portraits qu'ils peignent de nous.

J'ai appelé les quelques collègues dont j'ai appris à respecter l'intégrité et l'humour à travers toutes ces années de missions communes. J'ai proposé un dîner. Chez moi. Charles a ironisé sur cette invitation que j'évoquais depuis longtemps sans jamais la rendre effective. Les deux autres ont simplement pris note et ajouté qu'elles étaient très contentes, elles pouvaient amener leurs conjoints, n'est-ce pas, on n'allait pas parler boulot ?

Nous sommes samedi soir. Quatorze jours après que ma chemise a chu sur le plancher du salon de Laudin. Ce ne sera bientôt plus qu'un mauvais souvenir. Une des brûlures de la mémoire qui vous obligent à baisser les yeux quand, devant le miroir de la salle de bains, les images vous rattrapent. Mes collègues devisent sur la situation nationale. Le racisme rampant. La montée des extrêmes. Je les écoute. J'opine du chef. Je ressers du vin. Les reliefs du repas s'étalent devant nous. Dehors, les nuages se teintent de jaune. Il neigera sans doute bientôt. Un tremblement contre ma cuisse gauche. Un coup d'œil rapide. Un SMS de Laudin. Il voudrait me voir rapidement. Ce soir ? J'éteins le portable. Il attendra.

«J'ai essayé de vous joindre plusieurs fois, Louis.

— Je n'étais pas joignable, Alexandre.

— Un problème ?

— Aucun. La vie. Les rendez-vous. Le travail. Le mouvement.»

Je suis de retour sur le fauteuil vert. J'ai retrouvé ma pose. Je n'ai pas eu besoin de la retravailler. Ma mémoire l'avait intégrée. Les jambes écartées. Les mains sur les cuisses. Le torse légèrement affaissé. Les lèvres serrées. Et la fronde dans le regard. Je n'ai pas eu non plus à la rechercher. Elle était là, tapie, prête à l'attaque.

«J'avais très envie de retravailler sur ce tableau. Il m'a obsédé des jours entiers. Je crois que je n'arrivais pas à me détacher de votre peau.»

Alexandre laisse échapper un rire aigrelet qui ne lui ressemble pas. Il tousse deux fois. Il semble épuisé. Tous ces voyages. Toutes ces soirées. Je ne vais pas le plaindre. Un silence, ensuite.

Doucement, l'intimité revient. Elle marche à pas de loup. Elle sent les obstacles posés par ces dix-huit jours à ne pas se fréquenter, se frôler, se flairer. Nous avons du mal à réintégrer notre terrier.

« Vous ne dites rien, Louis. Vous préférez que nous nous taisions ? »

Nos regards se croisent et, pour la première fois, nous nous attardons dans les yeux l'un de l'autre. Ce que je discerne me perturbe. Derrière la lumière vacillante, il y a comme un renoncement.

« Pourquoi avoir attendu autant pour me recontacter ? »

Le frottement ténu de la brosse sur la toile. Je ne bouge pas d'un iota.

« Je vous ai manqué ?

— Je déteste cette sorte de jeu amoureux que vous jouez.

— Donc je vous ai manqué. À moins que ce ne soit vous-même que vous ne vouliez pas retrouver. Cette image de vous. Cette passivité pendant que je dresse votre portrait.

— J'étais persuadé que je ne reviendrais plus poser.

— Et moi que j'abandonnerais le projet.

— C'est vrai ?

— Absolument. »

Mon point de vue s'altère, pour la première fois depuis le début de cette aventure. Je n'ai jamais envisagé la scène depuis le chevalet. Ce que

Laudin pouvait ressentir. Comment cela influen-
çait le cours de son existence. Je réponds que
j'aurais très bien compris son refus de continuer.
Il n'aurait même pas eu besoin de me donner
d'explications. C'était troublant, cette proximité
avec une figure issue de son passé, non ? Quelqu'un dont on connaît les contours mais dont on
ignore tout, finalement. J'ajoute qu'il aurait simplement pu me prévenir. Même seulement de ses
doutes. Cela aurait été plus poli, tout simplement.
Plus civil. Je retrouve des inflexions de professeur
devant un élève qui a séché le contrôle et cherche
à se défiler. Laudin sourit, mais son sourire ne
ravive pas la flamme dans ses yeux.

« Je suis malade, Louis. »

Instantanément, j'imagine les couloirs d'hôpital,
la lumière intermittente de l'ambulance, les salles
d'attente surpeuplées. Je perds de ma superbe. Je
hoche la tête. Je bredouille des excuses. Alexandre
répond qu'il n'y a pas de quoi, je n'ai rien à voir
avec tout ça. Ou plutôt si, à la réflexion, mais pas
comme je l'imagine. La série de tableaux, elle
découle probablement du diagnostic. Comme
l'envie de tout bousculer. Et d'attaquer à l'os. Il
ajoute que je ne dois pas m'inquiéter, il ne mourra
pas dans l'immédiat, ni même probablement dans
la décennie à venir, c'est une couleuvre au long
cours qu'il a avalée. Je fronce les sourcils. Son ton
devient monocorde. Une récitation qu'il a apprise,
pour rester le plus neutre possible et empêcher

l'irruption de la compassion. Les douleurs ont commencé il y a quatre ans, explique-t-il, mais au départ, évidemment, il n'y a pas prêté attention. Les mains. Le dos. Rien que de très normal pour quelqu'un qui passe des heures derrière un chevalet. Il s'est inscrit au yoga. A vu un kinésithérapeute. A blagué en lançant qu'il avait toujours paru plus vieux que son âge. Il y avait cette boule qui apparaissait, gonflait, puis s'amenuisait à la jointure de l'index et du majeur de la main gauche. Il s'est rendu compte qu'il avait tendance à la cacher, en présence d'autrui. Il redoutait les questions. Parfois, il se réveillait la nuit et son cœur battait plus vite, mais il ne se résignait pas à se rendre chez un médecin. Il gardait en tête cette idée stupide que la consultation déclencherait le mal plutôt qu'elle ne le soignerait. Et puis un jour, il était dans une parfumerie à Paris, il aimait fréquenter ces galeries saturées d'odeurs, elles l'inspiraient. Il avait pris une fragrance pour homme, il tenait le flacon entre ses doigts, et soudain, une fulgurance partant du poignet et irradiant les phalanges... Il avait lâché la bouteille qui s'était écrasée au sol, dans le silence médusé des clients qui n'avaient même pas eu un regard pour les éclats de verre tant ils étaient angoissés par son visage, déformé par la souffrance. On avait appelé les secours alors qu'il ne voulait pas en entendre parler et répétait que c'était passé, que ce n'était rien. Plus tard, il avait vu un spécialiste. Il se souvient de la façon qu'avait cet homme d'opiner du chef à chaque phrase proférée par Alexandre. Et de ses mots qui entouraient le patient, l'accompagnaient et l'invitaient doucement à venir contempler l'ampleur du désastre. Polyarthrite rhumatoïde. Deux «h», trois «r», trois «t». Des lettres sèches définissant un espace extrêmement solitaire. Une maladie dont une grande partie de la population est atteinte lorsqu'elle atteint le quatrième âge. Attaque des articulations. Déformations. Ravages. On a tous en tête l'image d'une vieille tante dont les mains sont recroquevillées, incapable de saisir un quelconque objet.

« Voilà, je suis cette vieille tante. Avec un demi-siècle d'avance. »

Je me lève. J'enfile la chemise que j'avais laissée à terre. J'entends le froissement du plastique sous mes pieds – nous sommes encore en chantier, nous y resterons longtemps. Alexandre fronce les sourcils et commence à flamboyer. Il grommelle qu'il déteste les manifestations d'empathie. Que c'est très embarrassant. Et que j'ai mieux à faire que de venir marquer ma solidarité de vioque à un homme qui a vingt ans de moins que lui. Je n'écoute rien. Dans un coin de ma mémoire, il vient de ressortir, intact. Son regard fuyant. Sa façon de s'enfoncer la peau autour des doigts avec ses ongles. Son insistance à fixer le mur en face de lui, comme si ce dernier allait s'ouvrir tout à coup et lui révéler les mystères de l'univers. Alexandre Laudin. Seize ans. C'est lui que j'ai envie de tenir dans mes bras, pour le rassurer. Tout va bien se passer, Alexandre. Tu as un avenir. Et il est beau. Brillant. Rond. Plein.

Il se débat quelques secondes en murmurant «va-t'en» et puis, tout à coup, les digues cèdent. Je pense à mes filles. À la peur qui les prenait soudain quand elles tentaient d'imaginer le futur.

Quand je retrouve ma place, la qualité de l'air a changé. L'agressivité qui flottait a disparu. Ne reste que cette étrange empathie, toujours un peu guindée, entre nous. Alexandre se concentre sur les couleurs. Le brun, surtout, m'a-t-il confié. C'est une teinte qu'il utilise souvent, mais à présent, il essaie de nouvelles nuances. Terre. Terre d'ombre. Je souris. Je retourne dans mes pénates. Les fenêtres donnant sur le jardin public. Le feuillage des arbres. Je suis dans le vert. Le bleu. Le jaune. C'est là que je veux vivre.

Je suis allongé sur le banc, devant les jeux d'enfants. Une chicane. Un toboggan. Un tourniquet. Le tout rouillé et dégradé. Orange. Rouge. Jaune. Les bancs sont un reliquat d'histoire. En pierre blanche, ils datent de la construction du vélodrome, au XIXᵉ siècle. Les pistes doivent encore exister, dans les sous-sols. Recouvertes par des couches temporelles et géologiques. Le vélodrome a fait place à une école, alors que le XXᵉ siècle débutait : un groupe scolaire en brique, avec des frises en mosaïque sur les frontons de chaque bâtiment, représentant des élèves grecs ou romains se rendant, le sourire aux lèvres, aux leçons prodiguées par leurs maîtres. Plus personne ne fait attention à ces curieux vestiges d'un temps où l'enseignement était sacralisé. Personne, sauf moi, parce que je passe des heures à observer mon environnement. Et à me faire oublier. Oui, ce que j'aimerais avant tout, c'est qu'on m'oublie.

J'ai huit ans. Je suis allongé sur le banc devant les jeux d'enfants. Je n'ai pas eu le courage de monter dans le marronnier. J'ai replié mes jambes. Les passants, sur la rue Édouard-Vaillant, ne peuvent pas m'apercevoir. Je suis dehors, mais protégé par la pierre granuleuse. Pourtant, même d'ici, j'entends les cris. Les insultes. Elles résonnent dans l'air de juillet. Je me dis que j'ai de la chance parce que presque tous les voisins sont partis en vacances. Que personne ne me croisera, dans quelques minutes ou dans quelques heures. Qu'on ne me posera pas la main sur l'épaule en me murmurant « ça va ? », comme si j'étais en phase terminale de cancer. Qu'il n'y aura pas de commisération dans les regards. Ni ces phrases prononcées à mi-voix – « le gosse, tu comprends, ça doit être dur pour lui ».

Mon père hurle après ma mère. C'est un fait. Une donnée objective. Ses invectives et ses insultes se propagent dans la cage d'escalier, se réverbèrent de mur en mur, pénètrent dans les autres logements de fonction, figeant les gestes des résidents, dont le corps se raidit tout à coup. On reste aux aguets. On est sûr qu'un jour ou l'autre il la frappera. Pour l'instant, ce ne sont que des mots, et les mots, ce n'est pas pareil, les mots, ça ne saigne pas, les mots, ça s'envole, c'est comme des étourneaux, ça forme des grappes, ça tourne en rond, et puis finalement, ça s'égaille, comme s'il ne s'était rien passé. « Oui, bien sûr, le gamin. Mais bon, on ne peut rien dire, parce que ce n'est pas vraiment de la violence, hein. Tant qu'il n'y a pas de coups. Catin, putain, c'est sûr, ce ne sont pas de jolis mots à entendre, mais bon, si ça se trouve, il y a un

fond de vrai. Et puis ce ne sera pas le premier à gran-
dir au milieu de la haine conjugale, regarde le nombre
de divorces qui augmente. Je suis sûr qu'au fond c'est
un mal pour un bien. Oui, parfaitement. Tu vas voir
que ça lui forgera le caractère. Après, il sera apte à
affronter toutes les situations sans crainte. »

La peur, c'est un animal doux. Je sens sa fourrure
au creux de mon ventre. Elle s'est accrochée il y a
une demi-heure, quand tout a commencé. Pour rien,
comme d'habitude. Un verre mal lavé. Un repas trop
rapidement préparé. L'appel téléphonique d'une col-
lègue. J'ai reconnu les prémisses – j'ai trouvé ce mot
dans un roman qui n'était pas pour mon âge, la
semaine dernière, et j'en ai cherché le sens. Mainte-
nant, je les identifie, les prémisses. C'est comme un
frisson le long de la colonne vertébrale de l'apparte-
ment – et ensuite, cette immobilisation dans la cha-
leur de l'été. Quelques secondes seulement avant que
l'orage s'abatte. Quand il n'y a pas école ou quand
les voisins sont là, je me cache sous le lit. Je place les
petits coussins jaunes que m'a donnés ma grand-mère
sur mes oreilles, et je me raconte des histoires.

Aujourd'hui, c'est différent. L'hystérie passe par les
fenêtres ouvertes et envahit le quartier désert. J'ai pris
mon élan juste avant que les cris commencent. J'ai
dévalé l'escalier. J'ai couru près des jeux. Je me suis
allongé sur le banc. J'entends les échos mais je ne veux
pas me boucher les oreilles. Je veux rester allongé ici, à
regarder les jeux de lumière dans le feuillage du saule
au-dessus de moi. Le bleu implacable du ciel. Le vert

tendre des feuilles. Le jaune d'or du soleil. Toutes les nuances. Toutes les alternances – bleu, jaune, vert, vert, jaune, bleu. Un jour j'apprendrai les couleurs, parce que, quand on maîtrise les couleurs, alors on peut chasser le noir.

« Je crois que j'ai terminé. »

Dehors, décembre souffle en rafales. Dans le jardin en contrebas, deux interjections, un éclat de voix, et puis plus rien. Pendant quelques minutes, nous restons immobiles, tous les deux. Lui, le visage tourné vers moi, mais les yeux dans le vague. Moi, épuisé, courbaturé et incapable de me déployer. Pris sous le charme. Qui se rompt lorsque Alexandre se redresse soudain, nerveux, et quitte la pièce. Je redresse la colonne. Cambre les reins. Lève les deux bras, paumes vers le ciel. Récupère ma chemise. Fais quelques pas. Hésite. Renonce. Puis cède à la tentation.

Sur un fond d'un brun tirant vers le gris, je me détache. Du rose vif. Du mauve. Des traces de vermillon et de jaune d'or. Les cicatrices censées réparer la chair, mais qui ne font que l'emprisonner. La bouche en rictus, le menton relevé et le regard presque concupiscent. Je ris très fort au bord d'un précipice – la folie ? la mort ? Meurtri mais pas martyrisé. À la frontière entre le plaisir et la douleur.

Je ressens de la fierté, et, sitôt après, une vague d'écœurement me saisit. J'ai un violent haut-le-cœur. Je traverse la pièce à grandes enjambées, me précipite dans l'escalier en claquant la porte derrière moi. J'ai froid. J'ai extrêmement froid. Et cette impression persistante qu'il me manque quelque chose. Un accessoire que j'aurais oublié, écharpe, gants, sac. Un membre que j'aurais laissé en plan. Je suis à peine dehors, dans le vent retrouvé, aspirant l'air à pleins poumons, qu'Alexandre me rejoint.

« Vous allez bien, Louis ?

— Écoutez, j'ai besoin de marcher quelques minutes. Ensuite, je rentre chez moi. Si vous voulez, je vous invite. Laissez-moi juste un peu de temps. Seul. »

Nous nous retrouvons en début de soirée. La nuit a déjà envahi la ville. Alexandre va et vient dans l'appartement avant de trouver ses repères. Il fait remarquer qu'on se cogne partout, que je dois me sentir à l'étroit, que je pourrais sans doute trouver mieux. Je réponds en souriant qu'il ferait bien de redescendre sur terre et de se mettre dans les chaussures d'un professeur de lycée divorcé, qui touchera bientôt une retraite relativement modeste – « nous ne vivons pas dans le même univers, jeune homme ». Il sourit. Il tourne dans son verre le whisky qu'il a choisi, à ma plus grande surprise, dans le bar que je me suis confectionné et qui ne me sert presque jamais. Il s'absorbe dans la contemplation de l'orange et du brun.

«Vous avez vu le tableau?»

Au moment où il prononce les mots, la toile me gifle de nouveau. Je m'appuie discrètement contre la table du salon. J'acquiesce. Je bredouille que je n'ai pas envie d'en parler maintenant. Peut-être jamais, d'ailleurs. C'est son œuvre. Pas la mienne. Il hoche la tête. Il fait semblant de réfléchir à mes paroles mais il est ailleurs. Il se projette. Il est loin devant moi. Il dit qu'il lui en reste un, «ici» – et il indique sa tempe gauche. Il ajoute : «Vous le savez, n'est-ce pas?», puis plus bas : «Vous êtes d'accord?» Je hausse les épaules. Il explique qu'il va partir à Vienne bientôt, et qu'il y passera le réveillon du Nouvel An. Je suis sur le point de répliquer que je n'ai pas besoin de connaître son emploi du temps, que j'ai déjà joué la partition de la jalousie et qu'elle ne me convient pas quand il propose subitement que je l'accompagne.

«À Vienne?

— C'est une très belle ville. Beaucoup moins confite dans le XIXe siècle qu'on pourrait le croire et...

— J'y suis déjà allé.

— Vraiment?»

Je souris devant son air interloqué. Je lui demande en quoi cela peut paraître si curieux.

Est-ce que j'ai l'air d'un homme qui n'est jamais sorti de sa tanière ? S'il savait ! J'ai des images de forteresses incas, de parcs américains et de citadelles du désert dans la mémoire de mes rétines, même s'il est vrai qu'il y a bien longtemps que je n'ai pas pris l'avion. Je pensais que la prochaine fois, ce serait pour voir ma fille cadette, mais sa vie est très occupée et je crois qu'elle préférera revoir sa ville natale et ses anciennes attaches plutôt qu'accueillir son père dans sa nouvelle existence. Alexandre bredouille qu'il se figurait seulement que Vienne, eh bien, Vienne, enfin, ce n'est pas une destination si courante, non ?

« Disons que j'aimais faire le tour des capitales européennes. Mais c'est une autre histoire.

— Vous aviez quel âge ?

— À Vienne ? Vingt ans. Je te l'accorde, c'est un choix curieux. Encore plus curieux à l'époque, où l'Autriche était un pays endormi.

— Vous étiez déjà avec votre femme. Enfin votre ex-femme. Anne, c'est ça ? »

Sans le savoir il me tend une perche pour sauter par-dessus les souvenirs encombrants. Je me réceptionne sur l'autre rive et me retourne pour lui faire face. C'est moi, maintenant, qui tiens les rênes de la conversation.

« À propos, je l'ai vue récemment. Nous avons parlé de toi. Elle m'a expliqué qu'un jour tu étais passé à la maison. Quand tu étais encore au lycée. Elle ne m'avait jamais mentionné ta visite auparavant. »

Alexandre rougit violemment. Il n'a pas eu le temps de parer ce coup qu'il n'a pas senti venir. Il s'assied sur le tabouret en plastique rouge de cette kitchenette dans laquelle je cuisine peu. Il ouvre machinalement le tiroir de la table, en sort un petit couteau, attrape une pomme, se met à la peler.

« Je suis désolé.

— Je ne vois pas de quoi.

— D'avoir eu le culot de venir sonner. D'avoir cru pouvoir m'insérer dans votre histoire. C'est très haut dans la liste des moments les plus embarrassants de ma vie. Votre femme a été d'une grande gentillesse. Elle s'est adressée à moi comme si elle parlait à un handicapé mental. Et votre fille, derrière, qui me dévisageait en fronçant les sourcils. Je donnerais beaucoup pour retourner en arrière et me casser la jambe ce jour-là. Ou pour effacer les images qui me restent.

— Je ne sais toujours pas dans quel but tu étais venu. »

Un bruit de gorge – un rire étranglé. Alexandre secoue la tête en gardant les yeux fixés sur la lame du couteau et la pelure de pomme qui révèle peu à peu sa nudité végétale.

« Vous vous souvenez du regard en arrière ?

— Pardon ?

— Le dernier sujet d'expression que vous nous aviez donné, cette année-là ? »

J'esquisse une moue. Bien sûr. Au faîte de ma carrière, j'ai parfois tenté des expériences qui débordaient du cadre strict du cours. Avec des classes de première ou de terminale qui accrochaient bien, je me permettais de glisser comme ultime production écrite un appel à l'introspection. « Vous avez maintenant quarante ans. Vous repassez devant votre ancien lycée. Les images ressurgissent. » J'avais intitulé l'exercice « Looking back ». Il était vivement conseillé mais facultatif, car il n'était noté que s'il s'avérait concluant, sachant que mes critères, sur ce type de devoir, ne pouvaient être qu'extrêmement subjectifs. Ils avaient l'autorisation de donner à leur réponse la forme qu'ils souhaitaient, lettre, article, dissertation, bande dessinée, film. À l'énoncé du sujet, j'entendais souvent des bruissements dans la classe – des mouvements de révolte aussi parfois. Je rappelais alors que je n'imposais aucune obligation et surtout aucune règle. Ils n'en revenaient pas. Très vite, certains se jetaient à corps perdu dans la rédaction, mais abandonnaient en cours de route. D'autres persévéraient. Dans les cartons du cagibi doivent encore subsister des productions maladroites, drôles, et parfois touchantes. Je ne les relis jamais, néanmoins je les garde. Quand j'y repense aujourd'hui, je trouve cette tentative de personnalisation de la langue étrangère intéressante mais déplacée. Qu'est-ce que j'espérais ? Qu'ils me livrent un pan de leur intimité ? Un morceau de cette jeunesse qui me quittait ? Je préfère parfois la vieille baderne inoffensive que je suis devenue à cet enseignant solaire mais intrusif que j'ai sans doute été. Dans tous les cas, je n'ai aucun souvenir de la copie d'Alexandre Laudin.

Il prend une deuxième pomme et s'applique à la peler avec autant de précision que la première.

« J'avais tout écrit. C'était une sorte de journal intime. Aucune pudeur. Vingt pages. Ma vie. Mon œuvre. À dix-sept ans. Quelle honte. »

Il se concentre sur le fruit qui se déshabille entre ses doigts.

« Le jour J, c'était l'effervescence dans les couloirs. Ils voulaient tous être les plus beaux, les plus intelligents, les plus remarqués. Ils étaient venus avec sous le bras des affiches, des montages photos, des films tournés avec le caméscope de leurs parents, des collages, des calligrammes, c'était inventif, c'était pétillant, ils en frissonnaient de plaisir. Ils allaient être distingués. Ils allaient faire pleurer dans votre chaumière ou provoquer des rires et des rougeurs. J'étais écœuré. Dans mon sac, j'avais mes vingt feuillets, rédigés dans un anglais pénible, avec des mots en français laissés au crayon de papier, et mes phrases qui tentaient de venir à bout de ce que j'avais compris en arrivant dans cet établissement, à savoir que, même si tout le monde professait la tolérance, je ne serais jamais totalement inclus dans cette grande vague d'amour feint. Parce que je désirais mes semblables. Des garçons. Et que cela suscitait au mieux de la compassion, chez les filles notamment, au pire de la défiance, et une agressivité rentrée. Si encore j'avais assumé mes penchants, si j'avais su me comporter de façon adéquate – exubérant, riant fort, trouvant chaque fois la repartie qui faisait mouche –, alors oui, j'aurais été admis dans les cercles qui organisaient des fêtes et transformaient l'adolescence en grand carnaval. Mais je n'étais pas comme ça. Je rasais les murs. Je cultivais la culpabilité et la honte. Je n'étais pas assez mûr pour me rendre compte que la libération ne pouvait venir que de l'intérieur. Que je ne devais rien attendre des autres. »

Alexandre Laudin serre les mâchoires et parle entre ses dents. Il manie la lame avec dextérité. Il saisit une troisième pomme. Bientôt, il trônera au milieu des épluchures.

« Tu étais amoureux de moi, Alexandre ? »

Le couteau s'arrête un instant. Alexandre hausse les épaules. Il répond que oui bien sûr et que non bien sûr. Un bref sourire. Il explique qu'évidemment je m'étais glissé dans quelques-uns de ses rêves érotiques à l'époque, mais il était conscient de notre différence d'âge et de statut. Il savait aussi que j'étais marié et que j'avais des enfants. Qu'il n'y avait aucun espoir. Disons qu'il était vite passé à autre chose. Et cette autre chose, c'était Matthieu Cintrat.

« Vous vous souvenez de Matthieu Cintrat, j'en suis sûr. C'était votre chouchou ! »

Le dernier mot, éructé. La voix d'Alexandre, en éclats. Je laisse le temps au silence de retrouver ses marques. Tandis que sa respiration se calme, je sors du buffet une planche en bois. Il commence machinalement à découper les pommes et je m'affaire à étaler la pâte que je viens de sortir du réfrigérateur. Parfois, tout ce qu'il reste à faire, c'est la cuisine. Trouver une occupation commune. Éviter les mots blessants. Les regards. Revenir sain et sauf de la zone d'inconfort.

Le nom de Matthieu Cintrat plane encore, mais il a perdu tous ses angles tranchants. Je retrouve facilement ses traits, mais je ne me rappelle pas l'avoir particulièrement favorisé – ni qu'il m'ait, lui non plus, particulièrement marqué. Oui, il était vif, il relançait le débat quand il s'enlisait, il prenait plaisir à discourir en langue étrangère – parfois de façon presque pédante, de manière à montrer à quel point elle était fluide grâce à ses différents séjours dans les pays anglo-saxons. Je crois qu'il s'est orienté vers Sciences-Po ensuite, mais j'ai vite perdu sa trace. Comme celle de tant d'autres.

« Honnêtement, Alexandre, j'ai quelques images en tête, mais elles sont très floues. »

141

Alexandre s'excuse. Il n'aurait pas dû s'emporter. Il devrait vraiment commencer une analyse. Il admet que c'est assez décevant d'avoir encore des morceaux d'adolescence coincés dans la gorge. Les autres semblent les avoir assimilés sans problème. Je réponds que pourtant, les autres, quels qu'ils soient, doivent rêver de connaître une réussite personnelle, sociale et artistique comme la sienne. Ils lisent certainement les articles qui lui sont consacrés avec une certaine amertume et plus qu'une pointe de jalousie – un javelot. Alexandre s'adoucit.

« Je ne crois pas, non. Au mieux, ils s'agacent. Ou ils ricanent en se rappelant des anecdotes humiliantes, comme quand je me suis retrouvé trempé aux toilettes parce que quelqu'un avait démonté le robinet.

— Il faut arrêter de croire que les gens sont hypermnésiques, Alexandre. Les souvenirs s'estompent, se déforment et le plus souvent disparaissent.

— Vous savez ce qu'il est devenu, Matthieu Cintrat ?

— Pas vraiment, non, et je dois dire que je ne m'en suis pas réellement préoccupé. Je suis désolé d'avoir donné l'impression que je m'intéressais davantage à lui qu'aux autres, en tout cas.

— Il était bien parti pour des études brillantes, et puis quelque chose s'est enrayé. J'en ai parlé avec ses parents, un jour. Ils étaient venus à un vernissage. Ils avaient une faveur à me demander. Matthieu est en Chine depuis une dizaine d'années maintenant. Marié, apparemment. Père, aussi. Mais ils n'en savaient pas plus. Il leur envoie une carte postale tous les ans, pour le 1er janvier. Un message laconique, pour dire qu'il est encore en vie. Ni adresse ni numéro de téléphone. Ils se demandaient si, avec ma renommée grandissante et les réseaux que j'avais certainement développés, je pourrais obtenir davantage de renseignements. Sa mère. Mon Dieu. Vieille. Avec ce regard implorant. Elle qui me toisait, les rares fois où je la croisais quand j'étais avec Matthieu. J'ai accepté. J'ai mis en branle tous les leviers. Mais ça n'a rien donné. Il est au milieu de l'empire du Milieu. Une aiguille dans une botte de foin.

— Libre.

— Pardon ?

— Tu n'as jamais rêvé de ça ? Recommencer, ailleurs ? Avec d'autres cartes ? Noyé dans la masse. Anonyme. Plus aucune pression familiale ni amicale. Quel soulagement ! Si jamais tu le retrouves, s'il te plaît, ne le dis à personne.

— J'ai abandonné l'idée, de toute façon. Je le laisse plutôt vivre en moi. »

Alexandre dépose avec délicatesse les pommes sur la pâte, comme s'il exécutait un mandala. Je souris en l'observant. Je pense à mes filles quand elles mélangeaient la préparation pour le gâteau au chocolat et qu'elles léchaient la cuillère en bois.

« Et donc, tu racontais tout ça dans ce que tu es venu m'apporter ce fameux jour ?

— Tout. L'enfer d'être amoureux de quelqu'un qui ne pourra jamais vous payer de retour, parce qu'il n'a pas les mêmes attirances. L'enfer de traîner dans les couloirs en sachant que vous êtes transparent, et qu'il faut que vous vous estimiez heureux parce qu'il n'y a aucune agressivité envers vous. Un mépris larvé, seulement. Bref, des jérémiades. De l'autoapitoiement. Tout ce que j'exècre. »

Il soupire. Quand il reprend la parole, sa voix est posée, et presque mécanique. Il avait beaucoup hésité avant de se rendre chez moi. Au fond, il savait que c'était une erreur, mais une infime partie de lui croyait dur comme fer que je saurais l'aiguiller. Voire le soigner. L'empêcher de souffrir. Le rendre normal. Comme moi. Solaire. Le type qui ne se pose pas de questions et qui avance dans la vie, dans la bienveillance générale. C'était son idéal. C'était de cette façon qu'il voulait exister. Moi. Il voulait être moi. Il a failli renoncer en haut de l'avenue du Général-Leclerc. Il n'avait jamais ressenti de telles douleurs abdominales. Mais il avait résisté. Vaillant petit soldat. Ses feuillets sous le bras, il avait sonné à ma porte – et le principe de réalité l'avait rattrapé quand Anne l'avait ouverte. Et quand Pauline s'était approchée derrière elle, sourcils froncés. Le sol s'était ouvert sous ses pieds. Il s'était rendu compte que je ne pouvais rien pour lui. Qu'il devait continuer sa route seul. Voilà.

À l'étage au-dessous, la voisine vient de rentrer. Son mari l'attend. Bribes de conversations filtrées par le parquet. Dans la cuisine, tout est calme. On entend seulement le ronronnement du four.

« Et ta vie sentimentale aujourd'hui, Alexandre ? »

Il hausse les épaules. Il rétorque que ça va, ça vient, rien de très sérieux, beaucoup de relations hygiéniques, histoire de vérifier que le corps fonctionne et que les articulations ne sont pas encore rouillées. Il y a bien eu un ou deux garçons – il emploie le mot « garçon » – avec lesquels les choses auraient pu aller plus loin, mais il se sait peu facile à vivre et la maladie n'a rien arrangé. Il ne veut pas d'infirmier. Il ne supporte pas d'être dépendant. Il pense que l'avenir va être un peu compliqué. Il refuse d'ailleurs de s'y projeter. Il ne veut penser qu'au futur proche. Il relève la tête et me fait remarquer qu'en parlant de futur proche je n'ai toujours pas répondu, pour Vienne. Je réponds que je vais y réfléchir. Entre Noël et le 1er janvier, c'est ça ? Il explique qu'il part le 26 et que le galeriste qu'il va rencontrer lui prête un grand appartement près du Ring, pour autant de temps qu'il lui plaira. Un rictus sur le visage d'Alexandre – « il n'a aucune idée de la valeur de

145

l'argent », ajoute-t-il. Alexandre a l'intention de passer la Saint-Sylvestre là-bas et il serait content que je l'accompagne, mais il comprend très bien que j'aie des obligations familiales.

Les congés de fin d'année avaient toujours été un moment difficile à négocier pour moi, parce qu'ils me rappelaient ces réveillons d'enfance où on n'invitait jamais personne et où les invectives commençaient à fuser dès le saumon fumé déposé sur la table. Évidemment, la perspective a changé quand les filles sont nées, mais autant Anne et elles paraissaient profiter de ces moments en famille, autant je m'en sentais presque étranger. Je tentais de donner le change. Je crois que j'y parvenais raisonnablement. Depuis le divorce, c'est encore une autre gageure – il s'agit de rester stoïque et souriant tout en refusant catégoriquement les invitations venues de collègues ou de vagues relations qui s'inquiètent d'apprendre que vous passerez certainement les célébrations seul. Même quand vous assurez que tout va bien. Cette année, Iris est au Canada et se détendra dans sa belle-famille, en compagnie de Pauline, qui se réjouit de vivre ainsi quelques jours aux côtés de sa sœur.

Alexandre précise que, bien sûr, je ne suis pas obligé de répondre tout de suite. Je ne suis même pas forcé de répondre tout court. Son billet d'avion est le 26. Départ de Roissy. Austrian Airlines. 8 h 50.

«Je ne suis allé qu'une fois à Vienne. Au tout début des années 80. J'ai détesté. Le brouillard, partout. Le canal du Danube gris-noir. Les façades austères. Et les autochtones très peu portés sur le cosmopolitisme.

— Cela a beaucoup changé.

— J'imagine, oui. En tout cas, ce sera l'occasion de vérifier.»

Son sourire. Il détourne la tête quelques secondes. Le temps de refouler le rouge qui menace d'empourprer sa peau. Ou de cacher la grimace de la douleur lancinante.

« Je ne comprends pas ce que je fais là. »

Elle est nerveuse. Elle jette des coups d'œil à gauche et à droite. Personne, pourtant, ne risque de nous reconnaître ici. Nous sommes dans l'une de ces chaînes de restaurants, à la périphérie de la ville. Celle-ci est prétendument spécialisée dans la cuisine italienne, et la nourriture y est aussi insipide que chez ses concurrents directs – buffets asiatiques, grills américains, moules et frites belges. Elle a à peine touché à ses lasagnes chèvre-épinard. De mon côté, je picore dans la grande salade des Abruzzes que j'ai commandée en désespoir de cause. J'ignorais que les Abruzzes produisaient du saumon fumé.

Elle m'a envoyé un SMS en fin d'après-midi. Elle sortait du travail. Depuis notre dernière rencontre, elle ruminait, m'a-t-elle dit. Elle s'en voulait de la façon dont elle m'avait parlé. Les messages se sont enchaînés. À un moment donné, j'ai écrit qu'il fallait que nous cessions ces allers-retours de textos parce que Gauthier allait vraiment en prendre ombrage. J'ai alors appris qu'il était en déplacement à Lyon jusqu'à la fin de la semaine. J'ai pris une longue inspiration et laissé s'écouler quelques minutes avant de lui proposer de passer la voir. Hors de question, a-t-elle répondu. Quitte à se retrouver, autant que ce soit dans un endroit neutre. Et elle a proposé cette cantine prétentieuse à la lisière de l'agglomération. Maintenant, elle se demande ce qui lui a pris.

« Si tu as peur du qu'en-dira-t-on ou de la réaction de Gauthier, invente une excuse. Raconte que Pauline a un problème et qu'elle t'a appelée en larmes. Que tu t'inquiétais. Rappelle-lui accessoirement que je suis son père.

— Pauline essaierait sans doute de joindre Gauthier directement si elle avait un souci. Je pense même qu'il est le premier sur la liste des gens à contacter en cas d'urgence. »

Je ressens la morsure ancienne de la jalousie. Celle qui me brûlait quand j'ai appris qu'Anne fréquentait à nouveau quelqu'un. Je me rappelle avoir surtout craint d'être supplanté dans le cœur de mes filles. Je n'aurais pas dû être surpris, pourtant. Gauthier est un homme responsable, sur lequel on peut compter. Sa position de beau-père tardif n'a rien d'enviable, cependant il a su la transformer en atout. Il appartient à notre famille éclatée mais il sait porter sur elle un regard extérieur, neutre, et néanmoins bienveillant. Je ravale mon amertume.

« Si tu penses que c'est une erreur, tu peux partir quand tu veux. Personne ne te retient prisonnière. Surtout pas cet amoncellement de pâtes baignant dans la béchamel. Au fait, les épinards, c'est pour te donner bonne conscience ? »

Elle se détend un peu. Sourit imperceptiblement.

« Parfaitement. En fait, je déteste ce plat. Je ne sais pas pourquoi je l'ai commandé. Ni pourquoi je suis ici. Je crois que je suis un peu perdue.

— Tu veux qu'on s'en aille ?

— Pour aller où ?

— Une balade en voiture ?

— À vingt-deux heures ? En hiver ?

— Sur la rocade ?

— Pardon ?

— On tourne en rond sur la rocade jusqu'à ce qu'on manque de carburant ? »

Elle est sur le point de répliquer, mais elle se reprend. Recule sa chaise de quelques centimètres. Lève les yeux au ciel. Accepte. En quelques minutes, nous sommes dans ma voiture antique, le chauffage à bloc. Elle pianote sur les touches de l'autoradio. Elle cherche la musique adéquate. Une station pour des auditeurs d'une tranche d'âge avancée. Avec des vieilles chansons. Des refrains qu'on pourra hurler dans l'habitacle, parce que, parfois, hurler est tout ce qu'on rêve de faire.

« *Non, mais… je sais quand je suis amoureuse.* »

Je relève la tête. Je tente de masquer le sourire qui menace de s'épanouir sur mon visage. Elle trouve que je souris trop, d'une manière générale. Que c'est suspect. Que je dois être le roi des hypocrites. Ou un nihiliste qui a décidé une fois pour toutes que la vie était un grand canular. Je ne réponds rien. Je suis suspendu à ses mots. Mon avenir se joue dans ses soupirs et ses silences. Son début de déclaration me réjouit. Nous allons peut-être pouvoir bâtir ensemble.

« *Et là, je ne le suis pas.* »

Pendant quelques secondes, je suis comme le coyote du dessin animé qui vient de se rendre compte qu'il n'y a plus de route sous ses pieds. Je pince les lèvres. J'inspire à petits coups, en tentant d'émettre le moins de bruit possible. L'air me brûle les sinus, le nez, la vue. Bonne figure. Voilà. Il faut que je fasse bonne figure. Et tandis que tout mon être tend vers la recherche d'un équilibre temporaire, les désillusions et les questions se télescopent. J'étais pourtant persuadé que. Il était évident que. Quand ai-je commis une erreur fatale ? Et maintenant ? Je me dirige où ? Je deviens quoi ? Les murs d'interrogations ouvrent des meurtrières sur l'avenir – des visions étroites et violentes. J'ai vingt-huit ans, bientôt vingt-neuf. Il y a longtemps que je ne fréquente plus les discothèques. Je commence même à me fatiguer des bars du centre-ville et de ce regard circulaire que je ne peux pas m'empêcher de jeter lorsque j'y entre, parce que ce soir, peut-être. Tous mes amis ont rencontré la personne qui va les accompagner, pendant quelques années tout au moins, celui ou celle qui sera sans doute l'autre parent de leur premier enfant. Ils sont montés à bord de TER, de TGV ou d'omnibus et je suis le seul à être resté à quai. Je me demande ce qui cloche, chez moi.

Tandis que, mentalement, je chute au ralenti, Alice perdue au pays des terriers, j'imagine les mois à venir. De nouveau sur les étals. Dans les bars, les rues, les soirées. Aux aguets. Exposé. Surexposé. Remarquable. Remarqué. Spirituel. Mais doux. Mais viril. Mais tendre. Mais ambitieux. Mais fragile. Mais drôle. Je suis fatigué. Je crois que je vais raccrocher. Je deviendrai celui que ses nombreux filleuls appelleront Tonton Louis en sautant dans ses bras, pendant que mes amis, les bras croisés, regarderont ce touchant tableau avec un sourire de commisération – ils seront tellement contents de m'avoir choisi comme parrain. « C'est vrai, quoi, c'est si injuste qu'il n'ait jamais trouvé la femme qui lui convenait.

Il aurait été un père parfait. Voyez comme il s'amuse avec les gosses. »

Je remarque que mes doigts tremblent un peu en sortant mon portefeuille. Je prends une profonde inspiration. Il faut que je retrouve mon calme. Je vais hocher la tête, comme il se doit. Expliquer que je comprends. Bien sûr, le problème, c'est elle, pas moi. Oui, oui, oui. Dommage, la balle était dans son camp, mais elle vient de me la renvoyer en plein visage. Je vais lui souhaiter une bonne soirée. Oh, pas de problème. Évidemment, nous restons en contact. Amis ? C'est beaucoup demander, non ? On ne se connaît pas tant que ça, finalement, hein ? Mais « en contact », absolument. On a nos adresses et nos numéros de téléphone respectifs. Aucun souci. Il n'y a jamais de souci avec moi. Je balaie, je sors la poubelle, je disparais, je ne laisse aucune trace. Un homme comme moi, c'est génial. C'est vraiment bête que ça ne fonctionne pas.

Je pensais choir sur un lit de feuilles mortes et, au besoin, découvrir une petite clé dorée qui m'ouvrirait la porte du Pays des Merveilles, mais, apparemment, la chute est sans fin. J'en arrive à me détacher de moi-même. Je m'observe. Me vois tomber. Dans mes yeux, cette résignation que j'ai toujours détestée. Cette façon de courber le dos sous les coups du destin et de jouer à l'aquoiboniste. Cette manière de s'évader de la situation qui pose problème en se rappelant qu'ailleurs les malheurs sont bien plus grands et que, quoi qu'il en soit, dans une centaine d'années, tout sera plié, le climat sera tellement déréglé que nous lutterons tous pour notre survie en balançant aux orties nos croyances et nos attachements. Ce refus de combattre.

C'est lors de cette descente interminable dans mes enfers intimes que je me rends compte soudain à quel point elle va me manquer. Anne. Sa manière tenace de prendre sa vie en main. Sa canine gauche décolorée. La nervosité de ses doigts. L'insécurité qu'elle cache sous un masque impassible. Le contact de sa peau contre la mienne. Ma main autour de sa taille, après l'amour. Je suis convaincu que nous pourrions former un duo réjouissant. Monter ensemble en haut de la colline et la dévaler en hurlant.

Et soudain, jaillissant de mes replis les plus secrets, la rage. Le crachat sur le déterminisme. Je suis en train de me lever et de tendre la joue maladroitement pour recevoir cette bise amicale qui claquerait comme une gifle, mais je dis non. Non. Tout simplement. C'est impossible. Je me rassieds. Je revois les images de ce film que j'ai vu sept fois de suite à sa sortie et qui commence par l'enterrement d'un homme encore jeune. Les amis assemblés. Les discours à l'église. Le convoi au cimetière. Le tout porté par la chanson des Rolling Stones qui sonne tout à coup comme le glas d'une génération. « You can't always get what you want, but if you try sometimes, you'll find you get what you need. » C'est exactement ce que je lui dis, mes yeux plongés dans les siens, le visage légèrement penché en avant, hésitant entre la mordre et l'embrasser, la fièvre dans le regard. « Je ne suis peut-être pas celui que tu veux, mais je suis sûr que je suis celui dont tu as besoin. Réfléchis à ça. » Lorsque je sors du café, je me rends compte que, pour la première fois sans doute, j'ai louvoyé entre les tables sans en bousculer aucune. Dehors, je serre les dents. C'est le premier jour de ma vie en solitaire. Puisque cela n'a pas marché avec elle et que je fonce vers la trentaine, alors le jeu n'en vaut pas la chandelle. Je n'irai pas me vendre à la plus offrante ou à la plus désespérée. Plus tard, j'écrirai un roman qui commencera par la phrase « Ma vie sexuelle s'est arrêtée à trente ans ». Les lecteurs riront devant le ton décalé et l'humour radical de cette confession. Ils y verront une fiction bien troussée – parce que, honnêtement, comment imaginer qu'une telle situation puisse durer de nos jours si le narrateur n'est pas prêtre, et encore, avec tout ce que l'on entend aujourd'hui – alors qu'il s'agira bel et bien d'un constat sans concession.

De retour dans mon appartement, je m'assieds sur le canapé, droit comme un « i ». Je ne bouge pas. J'attends que la nuit vienne. Le téléphone à côté de l'accoudoir sonne vers vingt heures trente. Je décroche par habitude. C'est elle. Elle tourne en rond depuis tout à l'heure. Elle pense à la phrase que j'ai prononcée. Elle l'a même recopiée sur une page A4 et l'a punaisée au-dessus de son bureau. Elle aimerait savoir si nous pourrions décider d'un nouveau rendez-vous. Assez rapidement. Ce soir, par exemple, si je n'ai rien prévu d'autre.

Nous passerons près de vingt ans ensemble. Nous

aurons deux filles. Nous nous séparerons sans cris ni heurts. Un jour, alors que la soixantaine approchera dangereusement, nous tournerons sur la rocade une partie de la nuit, en écoutant une radio dédiée aux grands succès des décennies précédentes, et nous comprendrons que, quoi qu'il arrive, nous sommes indéfectiblement liés l'un à l'autre.

Elle voudrait s'arrêter sur le prochain parking.
Elle a envie d'une cigarette. Je lui fais remarquer
qu'elle a arrêté de fumer il y a plus de dix ans.
Elle hausse les épaules. Elle rétorque « et alors ?
raison de plus ». Je lui propose de fumer dans la
voiture, mais elle se rebelle – c'est hors de question. Après, l'odeur reste pendant des mois. Je
lui rappelle que, pourtant, nous l'avons souvent
fait, avant la naissance des filles. Elle réplique
que nous avons aussi conduit en état d'ivresse et
couché avec des inconnus sans capote. Nous ne
sommes pas des exemples à suivre. Elle ajoute
que « tiens, là, à droite, vers l'hypermarché, c'est
bien ». Je souris. Elle fronce les sourcils. Elle ne
voit pas ce qui m'amuse. Je murmure « rien »,
mais je sens l'eau perler au coin de mes cils et je
me concentre sur le bitume. Je connais sa prédi-
lection pour les endroits de fin du monde
– zones commerciales désertes, aires de stationnement délaissées aux abords des villes, canyons

de l'Ouest américain, bords d'océan déchiquetés. Elle m'a déjà avoué que c'était là qu'elle se sentait le plus vivante.

Regardez-nous.

La lumière des réverbères de la rocade éclaire indirectement les colonies de caddies accrochés les uns aux autres. Nous nous sommes assis sur le capot. Devant nous, la zone commerciale et ses enseignes dans lesquelles nous nous sommes perdus parfois, avec les filles, les samedis après-midi. Elle laisse la cigarette se consumer au bout de ses doigts.

« Je suis content que tu m'aies appelé, Anne.

— Ne te figure pas que tu vas me renverser sur la banquette arrière.

— Je n'oserais jamais. Trop peur du lumbago. »

Elle me touche l'épaule. Elle dit : « Tu sais que nous ne formerons plus jamais un couple, n'est-ce pas ? »

J'acquiesce. Je murmure que je trouve ça un peu triste, en vérité. Elle balaie ma remarque d'un geste de la main. Elle explique qu'elle voudrait me présenter quelqu'un. Elle s'appelle Amélie. Elle est un peu plus jeune que nous. Elle est issue de la génération où les Valérie, les Véronique, les Sylvie et les Isabelle étaient passées de mode. Je bredouille « mais pourquoi, enfin, c'est ridicule, c'est déplacé ». Elle rétorque que ce n'est pas plus curieux que de jouer les égéries pour un ancien élève devenu peintre. Je ne peux pas m'empêcher de rire. Je contemple son profil découpé par les néons de la station-service, à quelques mètres de nous. Nous fumons non loin des pompes à essence. C'est l'histoire de notre vie, à nous tous.

« Écoute, honnêtement, Anne... Il n'y a rien de glauque dans ma relation avec Alexandre, je t'assure.

— Laisse tomber. Je crois que je suis jalouse, tout simplement.

— Je ne suis pas sûr de comprendre.

— Il t'arrive des choses. Des événements. Des rencontres. Tu te poses des questions. Tu tâtonnes. Il y a bien longtemps que le hasard n'a pas frappé à ma porte. Je roule au ralenti sur ma départementale, je ne croise ni camion ni moto. Je suis prise dans le filet des tâches quotidiennes. Je m'inscris à des activités pour tenter de me distraire de l'idée que je serai bientôt à la retraite et qu'il va falloir que je rassure tout le monde en répétant que je suis une sexagénaire épanouie et tellement contente d'avoir enfin du temps devant moi. Alors que le temps devant moi, il me terrifie. Je ne sais pas. J'espérais davantage de la vie. C'est idiot, non ?

— Davantage que quoi ? »

Elle hausse les épaules. D'un geste, elle indique le parking, la station-service, la rocade, les lumières de la ville, au fond du décor. Elle dit que ce qu'elle voulait, par exemple, c'était des moments comme celui que nous venions de traverser, une virée en voiture, des kilomètres pour tuer la nuit. Je sens sa voix qui vacille, mais lorsque j'approche ma main de sa joue, elle a un mouvement de recul. Elle me demande pourquoi, quand nous étions ensemble, nous n'avons jamais eu ce grain de folie.

« Nous avions les filles, Anne. C'étaient elles, notre grain de folie. »

Elle lève les yeux au ciel. Elle trouve que l'argument est non seulement facile, mais aussi totalement erroné. Nous avons été des parents inquiets. De ceux qui répètent « attention » à chaque fois que l'une ou l'autre s'apprêtait à traverser la rue ou montait sur un mur. Des parents exigeants aussi. Nous avons eu nos plages de liberté, bien sûr, et ce fameux voyage de Vancouver à San Francisco – mais le reste, tout le reste était chronométré, millimétré. Nous n'avons pas ouvert notre famille aux quatre vents et c'est ce qui nous a tués. Elle baisse la tête. Elle donne un coup de pied dans une cannette à moitié écrasée. Elle ne me reproche rien, ajoute-t-elle. Elle se sent aussi responsable de la situation que moi. Elle sait aussi par cœur tout ce qu'on peut lui répliquer. La chance de vivre au XXIe siècle. Dans une démocratie occidentale. N'empêche. « N'empêche », répète-t-elle.

Je la prends par le bras. Les premières lueurs

de l'aube éclairent la cathédrale, au loin. Je voudrais lui dire que nous aurons encore de belles insomnies, mais je sais que ce n'est qu'une jolie formule.

INCARNAT

Il se retourne, me fait signe de le suivre et pose son index sur ses lèvres. Rester silencieux. N'éveiller aucun soupçon. Aucun animal. Aucun esprit. Il est une heure et demie du matin. Nous sommes entrés par effraction dans la cathédrale de la ville. Nous avons l'intention de monter jusqu'aux toits et de dormir là-haut.

C'est mon premier ami, je crois.

Il s'appelle Thibault, et je trouve ce prénom terriblement exotique au milieu des Francis, des Claude et des Bruno dont mon enfance a été peuplée. Nous avons dix-sept ans. À la faveur d'un déplacement arbitraire dû à des bavardages intempestifs en cours de français, Thibault s'est retrouvé à côté de moi. J'étais censé le calmer – moi, le stéréotype de l'élève sérieux et attentif. Les enseignants ne devinaient pas les révolutions qui me traversaient. Je ne laissais rien paraître. J'étais devenu un expert de la feinte. Thibault a tout de suite été impressionné par ma capacité déconcertante à suivre le cours tout en griffonnant des messages à son intention sur mon cahier de brouillon. Je peux écrire très lisiblement de la main gauche sans quitter une seconde des yeux l'enseignant qui s'escrime au tableau. Les premières correspondances ont été factuelles – « oui, bien sûr, je te laisserai pomper ce que tu veux » ; « non, ça ne va pas jusqu'à rédiger tes devoirs et puis quoi encore ». Petit à petit, nous avons glissé vers des réflexions sur nos camarades, mais je ne voulais pas verser dans la délation ou l'ironie facile. Alors nous avons dérivé vers la musique, le cinéma et les sorties. Dans les semaines qui ont suivi, on nous a aperçus de plus en plus souvent ensemble. Une alliance contre nature, selon certains. Les contraires qui s'attirent selon les autres. Ils ne pouvaient pas imaginer à quel point ils avaient tort.

« Tu caches bien ton jeu », m'a glissé Thibault dans un de ces cafés enfumés et surpeuplés du quartier de la cathédrale, un samedi soir, après nos deux premières bières.

À l'intérieur, j'ai de la lave en fusion.

Je découvre sa famille, aux antipodes de la mienne. Des parents jeunes, mais aux abonnés absents, une sœur qui joue la séduction à tous crins, une maison accueillante, mais au sein de laquelle, finalement, Thibault se sent isolé. Il ne rencontre jamais ma famille, l'atmosphère étriquée, engoncée, de cet appartement surchauffé au sein duquel l'air a du mal à circuler.

Nous bâtissons des projets. L'année prochaine, nous monterons à Paris. Nous prendrons un studio, ce *sera exigu, bien sûr, mais nous trouverons une solution. Nous écluserons toutes les salles de cinéma du VIe arrondissement, nous volerons les nouveautés dans les librairies et emprunterons les volumes plus anciens dans les bibliothèques prestigieuses, nous nous faufilerons gratuitement dans les salles de concert, nous rencontrerons des filles dont nous tomberons amoureux pendant trois semaines et puis, hop, décristallisation à la Stendhal, le temps de changer de point de vue et de cible, nous serons des cœurs d'artichaut. Nos rêves sont des motivations suffisantes pour me mettre au travail, mais je comprends petit à petit qu'il n'en est pas de même pour Thibault. Plus nous nous y collons, plus mes résultats progressent et plus les siens chutent. Il refuse que je l'aide. Il se sentirait humilié, ajoute-t-il. Nous n'abordons plus le sujet. Nous profitons de notre nouvelle popularité. Lorsque nous naviguions chacun de notre côté, nous traversions la journée en marins presque solitaires, mais depuis que nous nous sommes acoquinés, nous attirons un équipage de plus en plus nombreux. Une bande s'agglomère. Thibault en devient le capitaine et moi, le second. Toujours fidèle. Toujours prompt à la désertion ou à la mutinerie.*

Et tout à coup, c'est le mois de juin. Les examens. Nous passons le baccalauréat dans la même salle. Je m'attelle à la dissertation de philosophie. Je m'y dilue. C'est dans un état second que je vois Thibault, assis à droite dans la salle, se lever au bout d'une heure et quitter la pièce. Je hausse les épaules. Si ça se trouve, il n'a écrit que deux pages, mais elles sont assez brillantes pour mériter la moyenne ou beaucoup mieux. Et puis, c'est la philo, de toute façon, et nous savons tous ce que cela signifie – les différences d'appréciation, de notation, d'approche, toutes les excuses que l'on se donne pour justifier le manque de solidité du devoir, son absence de rigueur et de profondeur, ses maladresses fatales. Je m'inquiète davantage lorsque la situation se répète en histoire-géographie. Je le cherche des yeux. Il ne veut pas croiser mon regard. Je lui téléphone le soir, mais c'est sa mère qui répond. Il ne souhaite pas qu'on le dérange. Même moi. Il est absorbé par ses révisions, ajoute-t-elle. Les jours d'examen défilent. Au beau milieu des épreuves, je reçois une lettre spécifiant que, étant donné mes résultats scolaires, je suis accepté dans la classe préparatoire parisienne à laquelle j'avais postulé un peu par hasard. Mes parents sont satisfaits, même s'ils n'ont, eux non plus, aucune idée de ce que peut impliquer l'enseignement dans ce type d'établissement. Je les préviens que je ne suis pas sûr de tenir le choc. En vérité, j'ai déjà établi mon plan. Je serai inscrit en parallèle à l'université de Nanterre, en anglais ou en lettres modernes, je n'ai pas encore choisi, et j'abandonnerai les élites quelques semaines après la rentrée, prétextant une charge de travail trop importante et un décalage social humiliant. Thibault sera lui aussi inscrit à la faculté, peu importe le cursus. Nous trouverons un appartement à partager, ce qui réduira les

dépenses parentales. Tout le monde sera content.
Paris sera à nous.

L'écrit du bac se termine le vendredi après-midi.
Une fête est prévue chez Pascaline. Thibault me télé-
phone juste avant que je parte. Il est invité mais il a
décidé de ne pas s'attarder. Il peut facilement imagi-
ner comment la soirée va évoluer, et le manque de
surprises le fatigue d'avance. Il aimerait que je prenne
la poudre d'escampette avec lui, avant que minuit
sonne. Nous pourrions écumer les bars du centre et
discuter enfin ; il a l'impression que nous ne nous
sommes pas parlé vraiment depuis des semaines.
J'hésite deux secondes. Je me faisais une joie de
rejoindre toute la bande, ce soir. J'accepte, pourtant.
Je n'imagine pas refuser quoi que ce soit à Thibault.
Vers vingt-deux heures, alors que tout le monde a
commencé à danser et que l'ambiance s'électrise, il me
presse le bras et m'indique la sortie de la tête. Nous
nous éclipsons. Il semble heureux. Je le suis beaucoup
moins. J'ai du mal à revenir dans le rythme de la
ville. J'aurais préféré rester. Nous allons prendre une
bière au Café du Musée, *près de la place de la cathé-*
drale. Je lui demande comment se sont passées les
épreuves, mais il soupire et répond qu'on n'est pas là
pour discourir sur le boulot. Pour la première fois, la
conversation se tarit rapidement. Nous observons
les étudiants ingurgiter des cocktails colorés et se
congratuler devant leurs taux d'alcool respectifs. À un
moment donné, Thibault dit « viens » et nous nous
retrouvons dehors. Il est minuit et demi. Des grappes

de garçons et de filles ornent la place. Il m'entraîne vers une rue adjacente et s'approche d'une lourde porte en bois. À ma question muette, Thibault répond par un sourire. Je lui attrape le bras, il se retourne, me fait signe de le suivre et pose un index sur ses lèvres.

Nous sommes là-haut, tous les deux. Assis, adossés à la tour. Nos pieds calés sur une gargouille – un monstre des Enfers qui hurle à la mort. Devant, la ville illuminée s'étale. C'est la première fois que je me retrouve en haut de la cathédrale. La porte n'a offert que peu de résistance. Thibault l'a crochetée avec un morceau de fil de fer qu'il avait apporté pour l'occasion. Quand je lui ai demandé combien de fois déjà il avait exécuté ce tour, il a haussé les épaules et répondu qu'il aimait bien venir ici, parfois, seul, la nuit. L'obscurité est à peine troublée par les lueurs des réverbères à travers les vitraux. Le silence. Cette impression que tout peut arriver, y compris les rencontres les plus improbables – créatures mythologiques, anges désincarnés, génies de la lampe. Il n'y avait rien à craindre – personne ne surveillait le lieu de culte. Il a poussé la porte capitonnée qui donnait sur les escaliers menant au faîte du bâtiment. Il m'a tenu la main pendant les dix premières marches, le temps que je m'habitue au dénivelé et à la clarté étrange émanant de la lune et des néons de la ville. Arrivé à mi-chemin, j'ai jeté un coup d'œil par une des meurtrières. J'ai d'emblée su que le décor allait s'incruster dans les replis de ma mémoire. Je me suis vu, dans quinze, vingt ou trente ans, retrouvant juste avant de m'endormir la brise, les lueurs, l'incurvé de la pierre sous mes semelles, la silhouette de Thibault un peu plus haut. J'en ai eu les larmes aux yeux.

Il aurait pu se dispenser de parler – je savais ce qu'il allait m'annoncer. L'échec programmé. La renonciation à nos châteaux en Espagne, à cette capitale fantasmée que nous avions bâtie, la poursuite solitaire du chemin. Les promesses qu'il ne tiendrait pas. La distance qui n'abolit pas l'attachement. L'amitié indestructible. Les frères de sang. Au bout d'un moment, j'ai cessé de l'écouter.

Je m'absorbe dans le panorama. Je deviens une partie de ces rues qui s'étalent devant mes yeux. Je me dilue et pourtant je suis là, intensément présent, ressentant les frissons le long de mon dos, la tension dans mes épaules, mes yeux presque douloureux d'être à ce point attiré par la nuit citadine. Thibault s'est arrêté de discourir. Il me jette des coups d'œil inquiets. Je ne le vois déjà plus.

Je suis seul, et pourtant peuplé par tous les chemins qui s'ouvrent devant moi, les rencontres que je ferai, les femmes dont je tomberai amoureux, les amis que j'étreindrai, les gouffres et les sommets que je franchirai. Quand je détache enfin mon corps de la pierre, je suis déjà quelqu'un d'autre.

Voilà. C'est à lui que je pense d'abord, allongé sur le canapé en velours rouge, perdu dans la contemplation d'un lustre aux motifs compliqués, dont les différents éléments doivent réfracter une lumière étrange lorsqu'il est allumé. Je vois encore nettement la place de la cathédrale à peine éclairée par les réverbères orange, et la vue, de là-haut. La tête de la gargouille qui calait mon pied gauche. Nous aurions pu tomber. C'est arrivé à d'autres. Depuis, l'accès à la tour a été sécurisé. Tout est sécurisé maintenant. Les cyclistes portent des casques, les infirmières scolaires ne peuvent plus administrer de remèdes, les cages à poules ont disparu des terrains de jeux pour enfants. Le moindre de nos faits et gestes est retranscrit sur la Toile.

Je reste immobile. Pas un de mes muscles ne frémit. Je suis suspendu entre deux temps.

Après cette ascension, plus rien n'a été pareil entre Thibault et moi. Comme il l'avait prévu, il a échoué à l'examen et n'a pas souhaité retenter

175

sa chance l'année suivante. Il est entré dans la vie active, a multiplié les emplois précaires avant de trouver une place de vendeur dans une grande enseigne d'ameublement. Il paraît qu'il aime à dire qu'après avoir beaucoup squatté les canapés pendant ses jeunes années il est devenu leur représentant. Il ajoute que c'est un juste retour des choses et son rire résonne dans les soirées. Il est marié. Il a un enfant, Thomas, qui fait sa fierté parce qu'il est doué pour le tennis et qu'il a poursuivi ses études, une fois le bac en poche. Jusqu'à son déménagement pour Lyon, il y a trois ou quatre ans, j'avais encore des nouvelles régulières par d'anciens amis communs. L'un d'entre eux avait d'ailleurs évoqué mon nom, à l'occasion d'une de ces virées entre hommes dont Thibault était friand. Il avait même insisté. « Mais au lycée, vous étiez très proches, non ? On vous tenait pour inséparables ! » Thibault avait arboré une moue dubitative et avait simplement répondu que les amitiés à l'adolescence, c'était comme les amours, ça allait, ça venait, et finalement ça n'avait pas autant d'importance qu'on le croyait. Je me souviens encore de la morsure provoquée par ces paroles rapportées. Je n'ai donc pas cherché à renouer le contact. Je n'aurais pas su quoi lui écrire. À part que oui, souvent, je pense encore à lui. Au beau milieu d'une journée de cours, quand je jette un coup d'œil par la vitre, ou quand l'aube se lève sur la rocade et que, au volant, je vois se profiler au fond du décor la silhouette de la cathédrale. Pendant un court instant, alors, je suis de nouveau à côté de lui. Je sens l'élasticité de mes muscles, la tension dans mon mollet gauche, la ville qui s'étale comme un mystère à déchiffrer.

Et aujourd'hui encore. Tandis que les larmes de cristal qui composent le lustre se mettent à tinter – un filet d'air s'est faufilé dans la pièce.

À lui. Puis à Anne. À ce café pris au matin de notre virée nocturne, dans un bar du centre, juste avant que nous reprenions nos chemins respectifs. Son visage fatigué. Sa façon de ne pas me regarder lorsqu'elle a parlé de son départ programmé pour le Sud-Ouest. Gujan-Mestras. On proposait à Gauthier une promotion qui impliquait cette mobilité géographique. Gauthier lui avait laissé le choix, bien sûr – elle était persuadée qu'il aurait décliné l'offre si elle le lui avait demandé. Mais elle était contente. Ce serait sans doute l'occasion de se remettre en selle. De nouveaux horizons. De nouveaux visages. C'était la raison de son appel de la veille au soir. Un au revoir. Rien qu'un au revoir, parce que évidemment je serais le bienvenu chez eux, quand je le souhaiterais. Je savais sûrement que Gauthier appréciait ma compagnie. À condition de ne jamais mentionner notre escapade, bien sûr. J'avais répondu en souriant que tourner en boucle sur une rocade ne ressemblait pas vraiment à une escapade. Je lui avais demandé si les filles étaient au courant. Elle avait secoué la tête – pas encore, non, mais cela n'avait plus guère d'importance, au fond, elles vivaient chacune si loin de nous. Elle tenait à m'en faire part d'abord. Parce que, sans moi, elles ne seraient pas de ce monde. Avant de me quitter, elle a reparlé d'Amélie. A vanté ses mérites. Divorcée. Pétillante. Institutrice – pardon, professeur des écoles. Un fils qui passait le bac à la fin de l'année. Elle était invitée au même réveillon de la Saint-Sylvestre que Gauthier et Anne. Il y aurait beaucoup de monde. Ce serait bien que je puisse la rencontrer à cette occasion. Je n'ai pas pu m'empêcher de rire. Anne a murmuré qu'elle ne se sentirait pas tranquille de s'installer à des centaines de kilomètres en me sachant seul ici.

« Je ne suis pas seul, tu sais. Je suis même extrêmement peuplé.

— Promets-moi de faire attention à toi.

— Je n'arrête pas. C'est sans doute mon problème, d'ailleurs. Je fais trop attention à moi.

— Tu y réfléchis, pour le 1er janvier ?

— Oui. Je ne sais pas ce qui se passe, mais je croule sous les invitations cette année. Je dois déjà donner une réponse pour une autre soirée.

— Où ?

— À Vienne.

— À Vienne ?

— Étonnant, non ? Mais je ne suis pas sûr d'y aller. Je verrai.

— Et pour Noël ?

— Tout va bien, Anne. Ne t'inquiète pas. »

Lorsque nous nous sommes étreints, debout dans le café, les conversations des clients ont cessé tout à coup. Ils ont pensé à leurs femmes, leurs filles, leurs mères. À la chaleur de leurs corps. Je me suis arraché de la peau de mon ex-femme. La journée commençait. Et j'avais bientôt un avion à prendre.

Dehors, un coup de klaxon. Des échanges enflammés en allemand. Je ne me détache pas des larmes de verre qui pendent du lustre. La lumière est rasante. Presque neigeuse. Vienne.

La seule et unique fois où je suis venu ici avant aujourd'hui, j'avais vingt ans. Les années 70 venaient de tirer leur révérence. C'était une drôle d'idée, ce séjour. Tous ceux qui avaient les moyens de voyager choisissaient Londres, Amsterdam ou New York, attirés par le clinquant et l'avenir. Elle, non. Quand je lui avais demandé où elle aimerait partir, elle avait répondu « Vienne ». Elle avait ajouté « en Autriche » et j'avais souri. Bien sûr, la destination ne me tentait guère. Je n'étais pas différent de la horde de mes contemporains, j'avais envie de me frotter à la vigueur, à la fièvre, aux auberges de jeunesse bondées, aux discothèques assourdissantes, aux soirées alcoolisées où se promettaient d'éphémères amitiés éternelles. Mais nous étions ensemble depuis six mois déjà et j'admettais qu'elle avait déjà fait de nombreuses concessions. J'avais d'autant plus envie de lui faire plaisir que je pressentais que notre relation allait vite tourner court. Je frémissais devant d'autres corps, qui vibraient davantage à l'unisson du mien. Je ne me rendais pas compte à quel point j'étais pathétique.

Elle ne souhaitait pas prendre l'avion. Les yeux baissés, elle avait expliqué qu'elle n'aimait pas trop cette idée d'être catapultée dans un autre univers en un laps de temps très court. Elle avait besoin de sentir les kilomètres et la fatigue s'accumuler, alors que je ne rêvais que de décollage et de confrontation brutale à une nouvelle réalité. Nous avons pris le train. Le trajet m'a paru interminable. Elle était plongée dans cet épais roman anglais du siècle précédent, dont le titre me correspondait si peu. *Loin de la foule déchaînée.* Je tentais de m'absorber dans la contemplation du paysage, mais je ne parvenais qu'à établir la liste des sorties et des rendez-vous que je manquais en partant m'enterrer temporairement à Vienne. En Autriche.

Ce furent des jours étranges. Encore aujourd'hui, cette semaine figure à part dans la masse de mes souvenirs. La propriétaire de l'hôtel qu'elle avait réservé par téléphone nous avait permis de choisir notre chambre, puisque nous étions les seuls clients, en cette fin d'octobre. Le brouillard recouvrait la ville. L'impatience m'a quitté, peu à peu. La torpeur hivernale de cette capitale qui ne semblait pas plus animée qu'un gros bourg de province m'a enveloppé. Nous marchions dans le froid pendant des heures. Nous suivions le canal de ce Danube gris, si loin de l'image d'Épinal que nous en avions. Nous arpentions les salles des musées monumentaux du Ring. Nous grelottions dans les parcs. En fin d'après-midi, nous faisions l'amour. Ensuite, elle me tournait le dos et se jetait à corps perdu dans la lecture de romans. Elle en avait apporté une pile impressionnante. Elle m'a proposé de me servir dans sa bibliothèque itinérante. J'ai commencé du bout des lèvres *Les Hauts de Hurlevent*. C'est au cours de cette semaine isolée du reste du monde, alors que je me préparais à me détacher de celle qui m'accompagnait, que je suis tombé amoureux de la lecture.

Elle s'appelait Sylvie. Elle n'aimait pas ce prénom, qu'elle trouvait trop commun. Elle aurait préféré se prénommer Constance ou Laïla, arborer des sonorités qui fleuraient l'aventure et la rêverie. Nous nous sommes séparés peu après notre retour. Elle était bien plus lucide et futée que je ne l'avais cru – elle avait d'emblée conçu Vienne comme un cadeau de rupture. D'ailleurs, elle ne me supportait plus.

Je l'entends parfois, à la radio. Elle s'occupe d'une émission hebdomadaire portant sur l'actualité culturelle. Elle et ses chroniqueurs donnent des avis tranchés et spirituels sur les nouveautés littéraires, cinématographiques et musicales. Ils rient beaucoup. Ils se relancent la balle. À la fin, je suis sûr que la tête leur tourne un peu. Elle a suivi l'un de ces parcours étonnants qui ridiculisent tous les anathèmes et prédictions que nous lançons, à intervalles réguliers, sur l'avenir de ceux que nous croisons. À Vienne, nous avions évoqué les voies qui s'ouvraient devant nous. Elle étudiait les lettres modernes, mais hésitait à opter pour l'enseignement parce qu'elle n'était pas sûre de pouvoir supporter les élèves, à long terme. Elle avait mentionné le journalisme en esquissant une moue dubitative – elle doutait de ses capacités à percer dans un milieu où l'entregent était roi. J'ai lu un jour dans une interview qu'elle avait accordée à un magazine qu'elle considérait que sa réussite était avant tout due à la chance et à ses rencontres, lorsqu'elle s'était finalement décidée à « monter » à Paris, « comme une Rastignac percluse de doutes », avait-elle ajouté (et la journaliste avait indiqué en italique : *rires*).

La meilleure décision qu'elle ait prise, je crois, a été de me quitter, au retour des brouillards autrichiens. En ce temps-là, on attendait beaucoup de moi : mes parents, ma famille, les amis que je fréquentais alors, mes professeurs. Ils pensaient que « j'en avais encore sous le pied » ou que « je n'avais pas encore donné la pleine mesure de mes possibilités ». Je n'ai jamais bien saisi ce qu'ils rêvaient que je devienne ni ce que le mot « succès » recouvrait pour eux exactement. Une voie royale vers les arcanes du pouvoir ? Une œuvre littéraire pérenne ? Un chef-d'œuvre cinématographique ? Des montagnes de billets de banque, des conquêtes féminines à la pelle, des kyrielles de coupes de champagne ? Rien de tout cela n'est arrivé, mais c'est sans importance puisqu'il n'y a plus personne pour témoigner – je ne vois plus aucun de mes amis de lycée, mes parents sont morts et mes professeurs attendent patiemment leur place au cimetière.

L'important est que moi je ne sois pas déçu. J'ai aimé ce parcours. J'ai aimé Anne, même si nous n'avons pas assez conduit de nuit sur les rocades. J'ai aimé voir grandir mes filles, même si elles ne téléphonent que pour me houspiller. J'ai aimé ceux qui ont traversé ma vie et troué ma peau pendant quelques heures, quelques semaines ou quelques années. J'ai aimé ce métier, aussi. J'aime l'idée d'avoir été un soleil, parfois.

Voilà pourquoi je suis là, dans un appartement viennois, sur un canapé en velours rouge. J'exhibe mon chemin et je redonne ce que l'on m'a confié. J'absorbe et je diffracte la lumière grise du dehors. Je suis un lustre en cristal. Mes souvenirs sont des larmes de verre.

Personne ne connaît mon adresse autrichienne. Personne ne sait ce que je suis en train d'y faire. J'ai retrouvé la mobilité de l'invisible.

Dans quelques minutes, Alexandre Laudin sera de retour. Il aura un imperceptible mouvement de recul en me trouvant ainsi. Même s'il est à l'origine de la scène. Du tableau.

Lorsque nous sommes arrivés tout à l'heure, j'ai remarqué sa nervosité. Il avait du mal à enfiler la clé dans la serrure. Il a ouvert la porte brusquement. Nous avons rapidement effectué le tour du propriétaire, juste le temps de poser nos bagages dans nos chambres respectives et d'admirer l'ensemble – une caricature de vestige austro-hongrois, lourdes tentures, meubles tout droit sortis d'un musée, lustres impressionnants, le tout donnant sur une impasse pavée menant à un parc public. Lorsque nous sommes revenus dans le salon, il a voulu fermer les rideaux. Puis les rouvrir. J'ai souri. Je lui ai intimé l'ordre de se calmer. Nous en avions déjà parlé, et j'avais donné mon accord de principe, non ? Il a hoché la tête, un gamin pris en faute. Je lui ai touché le bras. Pendant quelques secondes, j'ai senti la décharge électrique de sa jeunesse dans tout mon corps. Une insolence retrouvée. J'étais prêt à en découdre. J'ai demandé « Alors ? Où ? » D'un mouvement du menton, il a indiqué le canapé en velours rouge.

Les parquets craquaient sous chacun de nos pas. J'ai effleuré le tissu. D'un doigt j'ai caressé le contour du dossier. Je me suis assis. D'abord timidement, sur le bord du coussin gauche, puis prenant mes aises, mes bras étendus, ouvert, offert. Alexandre était figé, à l'entrée de la pièce. Lorsqu'il s'est mis à parler, sa voix était sans timbre. Ce décor lui était familier, bien sûr. Il était déjà venu avec Tobias, le propriétaire de la galerie. Le même qui nous avait accueillis à l'aéroport et proposé une visite rapide du Vienne monumental avant de nous déposer devant l'immeuble en tendant les clés à Alexandre, dans un geste d'intimité que je n'avais pas manqué de relever. Ces deux-là se connaissaient par cœur. Tobias n'avait pas été surpris de me voir. Alexandre l'avait prévenu. J'ignore comment il m'a présenté. Un ancien enseignant. Un ami. Un modèle.

J'ai de nouveau fixé Alexandre. J'ai vu la rougeur monter le long de son cou et enflammer son visage. Il a enchaîné avec difficulté. C'est ici qu'il avait imaginé la dernière toile. Il l'avait en tête. Bien sûr, il n'avait pas apporté de matériel, il n'était pas question de transformer ce lieu en atelier, encore que Tobias n'y verrait sans doute aucun inconvénient, c'était son appartement à lui, le cadeau d'anniversaire de ses parents le soir de ses dix-huit ans. Un ricanement. «Nous ne vivons pas dans le même monde, lui et moi», a-t-il ajouté.

Voilà. Il avait pensé que. Évidemment, je pouvais refuser. Jamais il ne m'obligerait à. Mais dans sa tête c'était très clair. Le canapé rouge. Le velours. Ma peau.

Il était cramoisi. J'ai simplement lancé :

« Allongé ? »

Il a acquiescé.

« Et nu, donc.

— C'est ce que nous avions convenu. Mais à nouveau… »

Je l'ai interrompu d'un geste. C'était moi, maintenant, le maître du ballet.

« Et comment vas-tu procéder ? Juste des croquis ?

— Je pensais… »

Les points de suspension se sont dispersés dans la pièce. Les yeux d'Alexandre ne m'évitaient plus. Je détectais leur présence sur mon cou, mon menton, ma bouche.

« Je pensais exceptionnellement prendre des photos.

— Il n'en a jamais été question auparavant.

— Je sais. C'est une option. Qui aurait l'avantage de ne durer que quelques minutes. Une demi-heure tout au plus… Ce serait plus… plus confortable pour tout le monde… En tout cas pour moi, c'est certain.

— Le confort, c'est une étrange notion pour un artiste.

— Ne vous moquez pas… J'ai surtout songé à vous, en fait. Des heures de pose, c'est éreintant… Et puis ce n'est pas mon appartement.

— Je ne comprends toujours pas pourquoi tu as tenu à ce décor. »

Avec son pouce et son index, Alexandre a légèrement tiré sur ses sourcils. Il y avait l'ombre d'un sourire sur son visage. Il a répondu que, même quand nous nous dévoilons, nous ne sommes pas entièrement nus. Chacun a encore droit à sa part d'ombre, non ? Eh bien, ce canapé rouge, c'était sa part d'ombre. Il m'a demandé si j'étais d'accord, donc, pour les photos. J'ai esquissé une moue. J'ai répondu que je trouvais le procédé presque pornographique. Et que je n'avais pas envie que des clichés de moi, nu, traînent un jour sur l'autre toile. La mondiale. Il s'est empressé de préciser qu'il les détruirait dès qu'il n'en aurait plus besoin, bien sûr. Que je pouvais lui faire confiance. Que. J'ai encore une fois interrompu le débit.

« Je vais avoir besoin d'un peu de temps. »

Il a froncé les sourcils.

« D'une heure ou deux. Pour m'habituer. Pour trouver mes marques. Seul. »

Il a compris tout de suite. Il a murmuré que c'était évident, il aurait dû y penser, il allait déguerpir, me laisser un peu d'intimité avant de, enfin, il passerait peut-être voir Tobias d'ailleurs, mais pourquoi me racontait-il tout ça ? Un dernier mot, dans l'entrebâillement de la porte. Il voulait savoir si nous pouvions nous donner un rendez-vous précis. À cause de la lumière, même si aujourd'hui, il n'y en a pas beaucoup. La nuit tombe tôt. Quatorze heures ? Très bien. Très bien.

J'avais quatre-vingt-dix minutes devant moi. Je me suis dévêtu lentement. J'ai marché dans l'imposant salon. J'ai amadoué les lieux. Et je les ai domptés.

Je ne me promène jamais nu.

Les femmes qui ont compté dans ma vie se sont parfois moquées de cette pudeur. De la façon que j'ai de légèrement détourner mon corps lorsque je me déshabille et de ce reste d'adolescence qui me pousse à filer rapidement sous les draps au moment du coucher. J'en ai ri avec elles, mais je n'ai pas changé mes habitudes. Même seul, je ne m'expose pas. Aujourd'hui est une grande première.

Je frissonne malgré le chauffage. L'air qui court dans la pièce caresse mes épaules, descend le long de ma colonne vertébrale. Je me repositionne. J'ai cru un moment que la nouveauté allait entraîner le désir et ses manifestations physiques. J'avais tort. Je suis détaché de l'envie. Extrait du temps, aussi. Mon bras gauche replié sur l'accoudoir. Le droit pendant dans le vide. La douceur du velours contre mes cuisses. Je me souviens de l'odeur de cuir, dans la voiture arrêtée au sommet de la colline, dans les Highlands. De celle du curry, dans la cuisine, près de Swiss Cottage. De l'air marin qui enivrait, tandis que ma fille et moi luttions pour ne pas nous envoler, sur la côte landaise. De la gargouille en pierre sous mes pieds, quand la ville nocturne s'ouvrait devant moi. Je suis la somme de tous ces moments. Et des rencontres qui m'ont modelé. Le lustre oscille légèrement. Une fenêtre mal fermée vient de s'ouvrir dans le salon. Un courant glacé traverse la pièce.

Je me lève brusquement. Enfile à la hâte mes vêtements qui jonchent le sol. Récupère mon sac encore fermé. Griffonne un mot. Le roule en boule. Je n'ai pas besoin d'expliquer quoi que ce soit. Je reprends ma liberté.

HORIZON

«Je crois que c'est ici.

— Tu crois ou tu en es sûr?»

Les nuages filent à toute allure vers l'Atlantique. Sur la gauche, le mont déchiqueté, couvert de lichens et de bruyères. Devant, la route qui plonge vers un de ces multiples lochs qui trouent le paysage. Je souris. Je réponds que j'en donnerais presque ma main à couper. Ou la sienne. Dans quelques années, de toute façon, il n'en aura plus aucune utilité. Alexandre lève les yeux au ciel.

Dix-huit mois se sont écoulés depuis Vienne. Dix-huit mois au cours desquels nous nous sommes peu vus. Quelques semaines après mon retour, le voisin a frappé à ma porte. Quelqu'un, un homme d'une quarantaine d'années, était venu en mon absence. Il avait déposé des paquets volumineux sur le palier. Le voisin avait préféré les prendre chez lui, de peur qu'ils ne soient volés. Par ailleurs, il se demandait ce qui pouvait bien se cacher sous les couches de papier kraft.

«On dirait des toiles, non?» Je l'ai remercié sans donner suite à ses interrogations illégitimes.

J'ai déchiré l'emballage pour m'assurer du contenu. Je ne me suis regardé que quelques secondes. Je me connaissais par cœur. Il n'y avait aucune lettre d'accompagnement. Un simple retour à l'envoyeur. Puisqu'un triptyque n'était pas envisageable, alors l'entreprise était caduque. Je ne serais jamais exhibé dans les galeries. Je me suis demandé vers quoi ou vers qui Alexandre allait se diriger maintenant, sans m'y attarder. J'avais une vie à remettre en marche.

Je suis allé au réveillon en compagnie de Gauthier et d'Anne. J'ai rencontré la dénommée Amélie, que j'ai trouvée charmante. Nous avons organisé plusieurs soirées à quatre, avant le départ de mon ex-femme pour le Sud-Ouest. Nous nous sommes très bien entendus. Lorsque nos deux comparses ont déménagé, la relation que j'entretenais avec Amélie s'est quelque peu dégradée et nous avons d'un commun accord décidé d'y mettre un terme. Nous nous téléphonons toujours de temps à autre. Elle a retrouvé quelqu'un. Elle est heureuse. De mon côté, j'ai récemment fait une rencontre importante. Je suis dans les premiers temps du désir. Lorsqu'on flaire l'autre et que de multiples possibilités s'ouvrent devant nous. Je fêterai bientôt mes soixante ans. Je n'en reviens pas. Je garde les yeux grands ouverts face au chemin qui se dessine.

Les tableaux sont restés quelque temps coincés derrière le canapé, et puis ils ont rejoint le reste des souvenirs, dans le cagibi. Ils sont bien, là. Je les ai remballés dans le papier kraft. Ils me permettent de rester intact. Pendant presque un an, je n'ai pas entendu parler d'Alexandre Laudin. On le disait très occupé. Installé à l'étranger. D'ailleurs, en passant devant son immeuble l'été dernier, j'ai remarqué la pancarte *à vendre*. Je ne l'ai jamais croisé dans les rues de la ville, et j'en suis content, car je n'aurais pas su comment me comporter.

Un jour, à la gare, je l'ai vu en couverture d'un magazine dédié à l'art et à la culture. Son regard était aussi glacé que le papier sur lequel son visage s'étalait et contrastait avec le sourire de façade qu'il arborait. J'ai lu avec intérêt l'entretien qu'il avait accordé au journaliste. Il expliquait qu'il était absorbé dans un projet de grande ampleur, à Vienne. Il ne voulait pas en dire plus mais il s'agissait d'un changement de cap évident. Un retour à l'huile. À du presque figuratif. À la proximité des corps. Il était conscient des risques qu'il prenait, parce qu'il allait sans doute se mettre à dos ceux qui aimaient ses premières œuvres, mais le risque était inhérent à l'art, non ?

Une nuit, j'ai rêvé de lui. Les gens faisaient la queue devant l'appartement de Tobias, entassés dans l'escalier. Ils venaient tous tenter de capter l'œil du peintre. Je n'ai pas été surpris quand, cet hiver, l'exposition d'Alexandre a été annoncée au sein d'une des plus grandes galeries parisiennes. Les premières reproductions ont confirmé mes intuitions. Des séries de triptyques, peints dans la fièvre. Des hommes, des femmes, des adolescents, des personnes âgées, originaires de tous les coins de la planète. Les portraits sans fard d'un monde déboussolé. Fragiles et puissants dans leur nudité exposée. L'œil du peintre, disaient les critiques, était à la fois cruel et compatissant – une alchimie rare. Je n'ai pas reçu d'invitation pour le vernissage.

Mes filles continuent leur chemin et j'y suis de moins en moins présent. Iris restera au Canada. Elle est revenue l'été dernier sans son compagnon. Nous sommes descendus voir sa mère et son beau-père. C'était une belle semaine, mais elle avait des fourmillements dans les doigts et dans les jambes – l'envie de rentrer là où se trouvait maintenant sa maison. Pauline projette de se marier, mais elle désire être enceinte d'abord. J'ai trouvé sa logique curieuse mais je me suis bien gardé d'émettre un quelconque avis.

J'entrouvre la vitre de la voiture. Le vent s'engouffre et fait trembler l'habitacle. J'entends la respiration d'Alexandre, à mes côtés. De plus en plus profonde. Il se dilate dans la vue qui s'ouvre devant lui. Le vert et le gris le disputent au rouge et au brun. La forêt sur la droite. Le sentier qui serpente sur la crête. L'appel de l'océan dont on devine la proximité.

Lorsque je l'ai appelé, il y a une quinzaine de jours, je pensais qu'il ne décrocherait pas et que je laisserais un message laconique qu'il effacerait rapidement. Il n'en a rien été. Il était très heureux d'avoir de mes nouvelles. Il voulait que nous nous retrouvions. J'ai exposé mon envie. Ce paysage d'Écosse qui me collait au corps. Celui auquel j'avais pensé la première fois que j'avais pris la pose, pour lui. L'envie de m'y retrouver. À ses côtés. Il a commencé par objecter qu'il avait plusieurs rendez-vous décisifs, et puis il a ri, il les annulerait, bien sûr, ils n'étaient pas si importants, après tout. J'ai voulu savoir comment il allait. Il m'a demandé de lui envoyer les billets électroniques, une fois que je les aurais.

Il attendait à l'aérogare de Roissy et j'ai eu quelques secondes pour le regarder sans qu'il me voie. Pour assimiler les changements. Il a beaucoup maigri. Ses cheveux poussent de façon anarchique. Quelque chose le dévore. J'espère que c'est l'amour. Je n'y crois pas vraiment.

Il ne souhaite pas parler de lui. Ni de l'Autriche. Ni de Tobias. Ni du nouveau tournant que prend sa carrière. Nous avons roulé en silence jusqu'à Kingussie.

Ces derniers mois, j'ai passé beaucoup de temps sur Internet pour retrouver l'endroit exact. J'allais abandonner quand je suis tombé sur les clichés pris par une touriste néerlandaise. Je suis resté en arrêt devant l'écran, le corps presque tétanisé. J'avais devant les yeux le décor dont j'avais rêvé éveillé pendant que le crayon d'Alexandre tentait de percer mes mystères.

Je ne pourrai jamais savoir si c'est réellement le lieu où Arnaud a coupé le moteur. Je ne connais que trop les chausse-trappes que peut offrir la mémoire. Des souvenirs aussi séduisants qu'inexacts. Des portraits qui paraissent criants de vérité et qui ne sont que des faux-semblants. Mais j'ai décidé que j'avais atteint le terme de ma quête, parce que tout concorde avec le paysage que j'ai recomposé. Le sommet décharné. La route qui descend en pente de plus en plus abrupte vers la vallée. Le loch en contrebas. L'anthracite des roches. Le soufre des fleurs d'ajoncs. La terre ombrée. Le brun et l'incarnat des lichens. Et les nuages sur le bleu horizon.

Je baisse entièrement les vitres.

Je murmure : « C'est là, oui. » Je murmure : « Écoute. »

Je desserre le frein à main.

Tandis que la voiture prend peu à peu de la vitesse, que le vent s'engouffre dans l'habitacle, nous coupant le souffle et nous plaquant contre nos sièges, je pense à ceux qui ont marqué ma vie et à celui qui a voulu la mettre à nu. Le bitume se déroule devant nous. Alexandre commence à rire. Lorsque je tourne la tête vers lui, il est radieux.

DU MÊME AUTEUR

Aux Éditions Buchet Chastel

LE BABY-SITTER, 2010 (Pocket)

G229, 2011 (Pocket). Prix Virgin-Version Femina

ET RESTER VIVANT, 2011 (Pocket)

06 H 41, 2013 (Pocket)

UN HIVER À PARIS, 2015 (Pocket)

MARIAGES DE SAISON, 2016 (Pocket)

LA MISE À NU, 2018 (Folio n° 6669)

LA GRANDE ESCAPADE, 2019

Aux Éditions Robert Laffont

JUKE-BOX, 2004 (Pocket)

UN MINUSCULE INVENTAIRE, 2005 (Pocket)

PASSAGE DU GUÉ, 2006 (Pocket). Prix Biblioblog

THIS IS NOT A LOVE SONG, 2007 (Pocket). Prix Charles-Exbrayat

À CONTRETEMPS, 2009 (Pocket)

Aux Éditions Delphine Montalant

ACCÈS DIRECT À LA PLAGE, 2003 (Pocket). Prix littéraire Québec-France Marie-Claire-Blais

1979, 2004 (Pocket)

COLLECTION FOLIO

Dernières parutions

6457. Philippe Sollers — *Mouvement*
6458. Karine Tuil — *L'insouciance*
6459. Simone de Beauvoir — *L'âge de discrétion*
6460. Charles Dickens — *À lire au crépuscule et autres histoires de fantômes*
6461. Antoine Bello — *Ada*
6462. Caterina Bonvicini — *Le pays que j'aime*
6463. Stefan Brijs — *Courrier des tranchées*
6464. Tracy Chevalier — *À l'orée du verger*
6465. Jean-Baptiste Del Amo — *Règne animal*
6466. Benoît Duteurtre — *Livre pour adultes*
6467. Claire Gallois — *Et si tu n'existais pas*
6468. Martha Gellhorn — *Mes saisons en enfer*
6469. Cédric Gras — *Anthracite*
6470. Rebecca Lighieri — *Les garçons de l'été*
6471. Marie NDiaye — *La Cheffe, roman d'une cuisinière*
6472. Jaroslav Hašek — *Les aventures du brave soldat Švejk*
6473. Morten A. Strøksnes — *L'art de pêcher un requin géant à bord d'un canot pneumatique*
6474. Aristote — *Est-ce tout naturellement qu'on devient heureux ?*
6475. Jonathan Swift — *Résolutions pour quand je vieillirai et autres pensées sur divers sujets*
6476. Yājñavalkya — *Âme et corps*
6477. Anonyme — *Livre de la Sagesse*
6478. Maurice Blanchot — *Mai 68, révolution par l'idée*
6479. Collectif — *Commémorer Mai 68 ?*

6480. Bruno Le Maire — *À nos enfants*
6481. Nathacha Appanah — *Tropique de la violence*
6482. Erri De Luca — *Le plus et le moins*
6483. Laurent Demoulin — *Robinson*
6484. Jean-Paul Didierlaurent — *Macadam*
6485. Witold Gombrowicz — *Kronos*
6486. Jonathan Coe — *Numéro 11*
6487. Ernest Hemingway — *Le vieil homme et la mer*
6488. Joseph Kessel — *Première Guerre mondiale*
6489. Gilles Leroy — *Dans les westerns*
6490. Arto Paasilinna — *Le dentier du maréchal, madame Volotinen et autres curiosités*

6491. Marie Sizun — *La gouvernante suédoise*
6492. Leïla Slimani — *Chanson douce*
6493. Jean-Jacques Rousseau — *Lettres sur la botanique*
6494. Giovanni Verga — *La Louve et autres récits de Sicile*

6495. Raymond Chandler — *Déniche la fille*
6496. Jack London — *Une femme de cran et autres nouvelles*

6497. Vassilis Alexakis — *La clarinette*
6498. Christian Bobin — *Noireclaire*
6499. Jessie Burton — *Les filles au lion*
6500. John Green — *La face cachée de Margo*
6501. Douglas Coupland — *Toutes les familles sont psychotiques*

6502. Elitza Gueorguieva — *Les cosmonautes ne font que passer*

6503. Susan Minot — *Trente filles*
6504. Pierre-Etienne Musson — *Un si joli mois d'août*
6505. Amos Oz — *Judas*
6506. Jean-François Roseau — *La chute d'Icare*
6507. Jean-Marie Rouart — *Une jeunesse perdue*
6508. Nina Yargekov — *Double nationalité*
6509. Fawzia Zouari — *Le corps de ma mère*
6510. Virginia Woolf — *Orlando*

6511. François Bégaudeau — *Molécules*
6512. Élisa Shua Dusapin — *Hiver à Sokcho*
6513. Hubert Haddad — *Corps désirable*
6514. Nathan Hill — *Les fantômes du vieux pays*
6515. Marcus Malte — *Le garçon*
6516. Yasmina Reza — *Babylone*
6517. Jón Kalman Stefánsson — *À la mesure de l'univers*
6518. Fabienne Thomas — *L'enfant roman*
6519. Aurélien Bellanger — *Le Grand Paris*
6520. Raphaël Haroche — *Retourner à la mer*
6521. Angela Huth — *La vie rêvée de Virginia Fly*
6522. Marco Magini — *Comme si j'étais seul*
6523. Akira Mizubayashi — *Un amour de Mille-Ans*
6524. Valérie Mréjen — *Troisième Personne*
6525. Pascal Quignard — *Les Larmes*
6526. Jean-Christophe Rufin — *Le tour du monde du roi Zibeline*
6527. Zeruya Shalev — *Douleur*
6528. Michel Déon — *Un citron de Limone* suivi d'*Oublie...*
6529. Pierre Raufast — *La baleine thébaïde*
6530. François Garde — *Petit éloge de l'outre-mer*
6531. Didier Pourquery — *Petit éloge du jazz*
6532. Patti Smith — *« Rien que des gamins ». Extraits de Just Kids*
6533. Anthony Trollope — *Le Directeur*
6534. Laura Alcoba — *La danse de l'araignée*
6535. Pierric Bailly — *L'homme des bois*
6536. Michel Canesi et Jamil Rahmani — *Alger sans Mozart*
6537. Philippe Djian — *Marlène*
6538. Nicolas Fargues et Iegor Gran — *Écrire à l'élastique*
6539. Stéphanie Kalfon — *Les parapluies d'Erik Satie*
6540. Vénus Khoury-Ghata — *L'adieu à la femme rouge*
6541. Philippe Labro — *Ma mère, cette inconnue*
6542. Hisham Matar — *La terre qui les sépare*
6543. Ludovic Roubaudi — *Camille et Merveille*
6544. Elena Ferrante — *L'amie prodigieuse (série tv)*

6545. Philippe Sollers — *Beauté*

6546. Barack Obama — *Discours choisis*

6547. René Descartes — *Correspondance avec Élisabeth de Bohême et Christine de Suède*

6548. Dante — *Je cherchais ma consolation sur la terre...*

6549. Olympe de Gouges — *Lettre au peuple et autres textes*

6550. Saint François de Sales — *De la modestie et autres entretiens spirituels*

6551. Tchouang-tseu — *Joie suprême et autres textes*

6552. Sawako Ariyoshi — *Les dames de Kimoto*

6553. Salim Bachi — *Dieu, Allah, moi et les autres*

6554. Italo Calvino — *La route de San Giovanni*

6555. Italo Calvino — *Leçons américaines*

6556. Denis Diderot — *Histoire de Mme de La Pommeraye précédé de l'essai Sur les femmes.*

6557. Amandine Dhée — *La femme brouillon*

6558. Pierre Jourde — *Winter is coming*

6559. Philippe Le Guillou — *Novembre*

6560. François Mitterrand — *Lettres à Anne. 1962-1995. Choix*

6561. Pénélope Bagieu — *Culottées Livre I – Partie 1. Des femmes qui ne font que ce qu'elles veulent*

6562. Pénélope Bagieu — *Culottées Livre I – Partie 2. Des femmes qui ne font que ce qu'elles veulent*

6563. Jean Giono — *Refus d'obéissance*

6564. Ivan Tourguéniev — *Les Eaux tranquilles*

6565. Victor Hugo — *William Shakespeare*

6566. Collectif — *Déclaration universelle des droits de l'homme*

6567. Collectif — *Bonne année ! 10 réveillons littéraires*

6568. Pierre Adrian — *Des âmes simples*

6569. Muriel Barbery — *La vie des elfes*

6570. Camille Laurens — *La petite danseuse de quatorze ans*

6571. Erri De Luca — *La nature exposée*

6572. Elena Ferrante — *L'enfant perdue. L'amie prodigieuse IV*

6573. René Frégni — *Les vivants au prix des morts*

6574. Karl Ove Knausgaard — *Aux confins du monde. Mon combat IV*

6575. Nina Leger — *Mise en pièces*

6576. Christophe Ono-dit-Biot — *Croire au merveilleux*

6577. Graham Swift — *Le dimanche des mères*

6578. Sophie Van der Linden — *De terre et de mer*

6579. Honoré de Balzac — *La Vendetta*

6580. Antoine Bello — *Manikin 100*

6581. Ian McEwan — *Mon roman pourpre aux pages parfumées* et autres nouvelles

6582. Irène Némirovsky — *Film parlé*

6583. Jean-Baptiste Andrea — *Ma reine*

6584. Mikhaïl Boulgakov — *Le Maître et Marguerite*

6585. Georges Bernanos — *Sous le soleil de Satan*

6586. Stefan Zweig — *Nouvelle du jeu d'échecs*

6587. Fédor Dostoïevski — *Le Joueur*

6588. Alexandre Pouchkine — *La Dame de pique*

6589. Edgar Allan Poe — *Le Joueur d'échecs de Maelzel*

6590. Jules Barbey d'Aurevilly — *Le Dessous de cartes d'une partie de whist*

6592. Antoine Bello — *L'homme qui s'envola*

6593. François-Henri Désérable — *Un certain M. Piekielny*

6594. Dario Franceschini — *Ailleurs*

6595. Pascal Quignard — *Dans ce jardin qu'on aimait*

6596. Meir Shalev — *Un fusil, une vache, un arbre et une femme*

6597. Sylvain Tesson — *Sur les chemins noirs*

6598. Frédéric Verger — *Les rêveuses*

6599. John Edgar Wideman — *Écrire pour sauver une vie. Le dossier Louis Till*

6600. John Edgar Wideman — *La trilogie de Homewood*

Composition : IGS-CP à L'Isle-d'Espagnac (16)
Achevé d'imprimer par Novoprint à Barcelone
le 20 juin 2019
Dépôt légal : juin 2019

ISBN : 978-2-07-279062-1/Imprimé en Espagne